✳ Contents ✳

Workbook

Marta Rosso-O'Laughlin

Conchita Lagunas Davis

Atando cabos

Curso intermedio de español

1-15 La visita a Guatemala. Elena y su novio están de luna de miel en Centroamérica y están buscando algunos datos generales sobre Guatemala antes de su visita. Busca y escribe la información que necesitan.

Capital: _La Ciudad de Guatemala_____

Área total del país: _____

Religión: _Cristiano_____

Forma de gobierno: _____

Moneda: _Quetzales_____

Lenguas: _Kiche, Mam, España_____

Volcanes importantes: _Tajumulco, Santa María_____

Cultura importante: _____

IV. Ampliación

1-16 Dichos. Describe a un miembro de tu familia o a otra persona usando los siguientes dichos (*sayings*) y explica por qué dices eso.

Modelo: *Mi abuela Jacinta es más vieja que Matusalén porque tiene cerca de 100 años.*

Dichos: Ser más bueno/a que el pan
Ser más malo/a que Caín
Ser más viejo que Matusalén

1. _____ porque _____

_____

2. _____ porque _____

_____

3. _____ porque _____

_____

1-17 La telenovela. Ayer viste los últimos minutos de una telenovela en español en la televisión. Lee el guión de la telenovela y después responde a las preguntas.

ALBERTO: ¿Por qué me sigues a todas partes?

JULIA: Porque tengo que hablar contigo. Alberto, no puedes casarte con esa mujer porque tú y yo seguimos enamorados.

ALBERTO: Eso no es verdad, Julia.

JULIA: Sí puede serlo. ¿Recuerdas nuestros planes de matrimonio?

ALBERTO: Mientes, Julia. Nosotros nunca hablamos de matrimonio. Tú y yo ya no somos novios. Ahora voy a casarme con Cayetana.

JULIA: Pero tú no la quieres, Alberto. Solamente piensas en que es hija única y va a heredar todo el dinero de sus padres. Tú todavía me quieres a mí, Alberto, no puedes negarlo. Mírame a los ojos y dime que no me amas.

ALBERTO: No puedo, Julia, no puedo. Yo sé lo que tengo que hacer. Ya está todo decidido. Mañana es la boda en la finca de mis futuros suegros y todo va a salir de acuerdo con mis planes. Debes olvidarte de que me conoces, Julia. Yo ya no quiero recordar el pasado.

1. ¿Cómo es Alberto? _____

_____

2. ¿Cómo es Julia? _____

_____

3. ¿Quién es Cayetana? _____

_____

4. ¿Por qué quiere hablar Julia con Alberto? _____

_____

5. ¿Cómo piensas que va a continuar la telenovela? _____

_____

_____

_____

1-18 La persona favorita de mi familia. Describe en 10 ó 12 oraciones a la persona que más te guste en tu familia.

_____

_____

_____

_____

_____

_____

_____

_____

_____

1-19 Una carta. Ayer Rosa recibió una carta de su hermana en la que le dice que está muy preocupada porque no sabe nada de ella.

> Hola Rosa:
>
> ¿Cómo estás? ¿Por qué no escribes? Estoy un poco preocupada porque no sé nada de ti.
>
> Nosotros estamos bien. Ayer celebramos el cumpleaños de Rosita. Parece mentira pero ya tiene dos años. Las dos mayores están muy cambiadas. Son independientes y tienen una personalidad muy fuerte. Casi no me dan ningún trabajo. La próxima vez voy a incluir unas fotos de las tres en la casa de mis suegros. Vas a ver qué lindas están.
>
> Por favor, escribe pronto.
>
> Un beso
> Victoria

Ahora Rosa va a responder a la carta de su hermana. Tiene que darle muchas noticias porque tiene un nuevo novio y está muy contenta. Información que incluye Rosa en la carta:

- explicación de por qué no escribió antes
- descripción del físico y la personalidad de su novio
- detalles sobre su vida diaria

Querida hermana: _____

_____

_____

_____

_____

Nombre: _____   Fecha: _____

2-13 **Un dominicano y una colombiana.** Mario y Claudia llegaron a los EE.UU. en 1995. Lee los datos sobre ellos que hay a continuación y completa los puntos siguientes con la información necesaria. Escribe oraciones completas.

Mario: Es taxista y estudia literatura latinoamericana en la universidad; siempre ve los partidos de béisbol todos los días y su deportista favorito es Sammy Sosa. Se siente más feliz en la ciudad que en el campo. Le cuesta mucho levantarse temprano y prefiere trabajar por la noche. Todavía necesita estudiar dos años más para graduarse.

Claudia: Estudia literatura latinoamericana en la universidad y trabaja en un restaurante para pagar sus estudios. Odia el béisbol pero siempre mira los partidos de tenis en la televisión. Se lleva muy bien con Mario y muchas veces hacen cosas juntos. Cree que en los EE.UU. hay más oportunidades de trabajo que en su país.

1. A Mario y a Claudia / interesar
A Mario y a Claudia les interesa la literatura latinoamericana.

2. Mario / disgustar
A Mario le disgusta el campo.

3. Claudia / no gustar
A Claudia no le gusta el béisbol.

4. Claudia / caer bien
A Claudia le cae bien con Mario

5. Mario / faltar
A Mario le falta dos años para graduarse.

6. Claudia / parecer
A Claudia parece más oportunidades de trabajo en los EEUU que en su país

2-14 **Hablan los hispanos.** Hoy hay cinco hispanos en un programa de Univisión. Escribe algunas de las opiniones de estos hispanos sobre su vida en los Estados Unidos. Usa los verbos entre paréntesis y la estructura de los verbos como **gustar**.

Carolina (chilena)
(gustar) A Carolina le gusta las oportunidades de educación.
(faltar) A Carolina le falta su familia

Silvio y Yolanda (cubanos)
(encantar) A Silvio y Yolanda les encantan las montañas de los EEUU.
(molestar) A Silvio y Yolanda les molesta la distancia entre la gente

Paloma y Manolo (españoles)
(entusiasmar) A Paloma y Manolo les entusiasma la variedad en empleo.
(parecer) A P y M les parece el ritmo rápido de la vida

III. Cultura

2-15 César Chávez. A continuación tienes unos datos sobre la vida y el trabajo de César Chávez. Busca en un libro o en el Internet la solución correcta.

1. César Chávez era descendiente de padres:
   a) cubanos   b) mexicanos   c) puertorriqueños

2. Murió en:
   a) 1973   b) 1983   c) 1993

3. Fundó:
   a) National Farm Workers Association
   b) Partido Independentista de Puerto Rico
   c) Radio Martí

2-16 Monumentos y ciudades. En los Estados Unidos hay muchas ciudades con monumentos históricos de origen hispano. Selecciona la ciudad en la que se encuentran.

Monumentos

1. El Álamo (1744)
2. Palacio de los Gobernadores (1610)
3. El Cabildo (1795)
4. Misión Dolores (1776)
5. Misión San Diego de Alcalá (1769)

Ciudades

a. Santa Fe (Nuevo México)
b. San Antonio (Texas)
c. San Francisco (California)
d. Nueva Orleans (Louisiana)
e. San Diego (California)

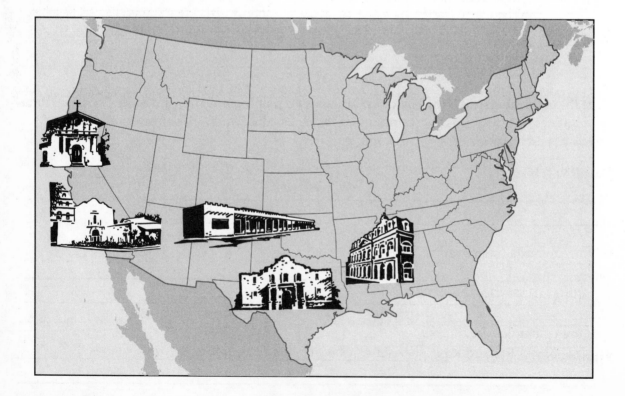

IV. Ampliación

2-17 El precio de ser un gringo. Richard Rodríguez, el famoso periodista de origen mexicano, escribió el artículo "El precio de ser un gringo" para Pacific News Services. Lee esta parte del artículo de Rodríguez y responde después a las preguntas.

■ El precio de ser un gringo

Quizá necesitamos colocar un letrero en la frontera: PELIGRO—ESTADOS UNIDOS PODRÍA SER PELIGROSO PARA SU SALUD.

Un estudio, dirigido por el profesor William Vega de la Universidad de California–Berkeley, ha encontrado que los inmigrantes mexicanos sufren de un estrés mental que aumenta con su estadía en este país. Los índices de enfermedad mental y trastornos sociales, como el uso de drogas y el divorcio, aumentan después de la inmigración. Dentro de una generación, los investigadores de Vega vieron un colapso de las familias inmigrantes que se puede comparar con otros estadounidenses.

Vega y su equipo de investigadores estudiaron los problemas de los inmigrantes mexicanos en el Condado de Fresno, pero supongo que ellos hubieran encontrado los mismos resultados al hablar con jóvenes mexicanos en Tijuana. Los pobres se están moviendo, por todo el mundo, desde pueblo a pueblo, desde la tradición hacia el cambio.

Entre Tijuana y San Diego esta noche, uno puede conocer a jóvenes esperando la oscuridad para poder correr hacia Estados Unidos. Ellos dicen que no les interesa ser estadounidenses. No hablan de Thomas Jefferson o el "Bill of Rights". Según ellos hay un trabajo que les está esperando en Glendale o Fresno. Un puesto en una pizzería o arreglando techos que les ayudará a combatir el hambre.

Los profesores de este país se preocupan. Los invitados del National Research Council avisan que no se debe "empujar los inmigrantes jóvenes hacia la asimilación".

El niño de Oaxaca termina haciendo pizzas en Santa Mónica. Aprende el inglés al escuchar, "¡no quiero pepperoni!" Día tras día, él respira Estados Unidos. Estados Unidos entra por su oreja—la jerga de California, el retumbo del rap. No se puede resistir.

---

1. ¿Cuál es el tema general de esta parte del artículo de Richard Rodríguez?

   _____

2. ¿Qué grupo de inmigrantes estudió el equipo del profesor Vega?

   _____

3. ¿Qué se descubrió en el estudio?

   _____

4. ¿Qué piensa Richard Rodríguez sobre los resultados del estudio?

   _____

5. ¿Qué les interesa y qué no les interesa a los jóvenes que quieren cruzar la frontera?

_____

6. ¿Qué cree el National Research Council?

_____

7. Explica con tus propias palabras qué quiere decir Richard Rodríguez en el último párrafo.

_____

_____

_____

_____

_____

2-18 La Mamacita. En el cuento de Sandra Cisneros *No Speak English*, la mujer no está muy contenta en este país y le escribe una carta a su amiga Adela, hablándole de su vida aquí. Completa la carta de la Mamacita teniendo en cuenta la historia o añadiendo otra información.

Querida Adela: _____

La vida aquí no es fácil. Todos los días _____, luego

_____ y después _____.

Al niño le encanta _____ pero a mí no me gusta.

Me acuerdo mucho de _____ pero creo que nunca

voy a poder marcharme de aquí. Mi esposo se preocupa mucho porque

_____. A veces nos peleamos porque

_____

Quiero regresar a _____

¡Qué triste me siento! _____

Se despide de ti, tu amiga.

Mamacita

2-19 Opiniones. A continuación tienes las opiniones de cuatro estadounidenses sobre la presencia de los hispanos en los Estados Unidos. Elige la opinión con la que estés de acuerdo y, en un párrafo de 8 oraciones, explica por qué piensas así.

A mí me preocupa mucho que haya tantos latinos en este estado. Los latinos nos quitan el trabajo y obligan a las escuelas a gastar dinero en programas bilingües.

(J.O.R, California)

A mí me gusta mucho ver a tantos latinos por las calles de mi ciudad. Los inmigrantes son buenos para este país porque traen otros valores culturales y nos enseñan maneras diferentes de pensar y vivir.

(J.P.R, Texas)

A mí me molesta oír español por la calle, leer letreros de "Se habla español" en las tiendas y ver que muchas instrucciones están en inglés y en español. ¿Por qué no aprenden inglés los latinos y se olvidan de su lengua? Para eso estamos en los Estados Unidos.

(J.Q.R. California)

Me parece bien que los inmigrantes latinos conserven sus tradiciones - si es eso lo que quieren- pero a mí no me interesa su cultura porque creo que no tiene nada que ofrecernos a nosotros los "anglos".

(J.R.R. Texas)

_____

_____

_____

_____

_____

_____

Nombre: _____   **Fecha:** _____

3-9 De película. El fin de semana pasado tu amiga vio la película española *Días contados* y ah̶ra̶ te está contando un poco del argumento. Éste es su resumen.

El protagonista, Antonio, *llega* a Madrid y *alquila* un apartamento en el centro. *Es* un hombre callado y misterioso. Un día *conoce* a Charo, su vecina, y *se enamora* de ella. Charo *tiene* unos 18 años. Antonio le *miente* a Charo sobre su profesión y le *dice* que *es* fotógrafo y que *trabaja* para diferentes agencias. Charo *quiere* visitar la Alhambra y una noche los dos *salen* hacia Granada. Durante su viaje, Charo *averigua* cuál *es* el trabajo verdadero de Antonio. Esto *ocurre* en el hotel. Antonio *está* mirando las noticias mientras Charo *se ducha* y, de repente, *aparece* su foto en la televisión. En ese momento, Charo *sale* del baño y *ve* la foto de Antonio. La policía lo *está* buscando porque *es* miembro de la organización ETA.

A. Volver a contarlo. Ahora cuenta otra ___ esta parte de la película que ya te contó tu amiga pero cambiando los verbos en bastardilla al p ___ rito o al imperfecto.

El protagonista, Antonio,…

_____

_____

_____

_____

_____

_____

B. ¿Qué pa ___ ués? Como tu amiga no terminó de contarte la película *Días contados*, ahora tú tienes que ___ ar el resto. Escribe una continuación y un final original. Usa los verbos en pretérito y en impe ___

_____

_____

_____

_____

_____

_____

_____

_____

3-10 **Unas malas vacaciones.** Alejandro Vargas y su novia fueron a Costa Rica de vacaciones pero Alejandro descubrió algo terrible sobre su novia en el bar del hotel. Aquí tienes los datos desordenados sobre lo que ocurrió esa noche trágica. Si los pones todos juntos, vas a reconstruir la historia completa.

A. Indica cuál de esta información requiere generalmente el uso del pretérito o del imperfecto en una narración.

	Pretérito	Imperfecto
1. llegar la policía	☐	☐
2. ser las once de la noche	☐	☐
3. bajar de la habitación del hotel	☐	☐
4. ir a otro bar	☐	☐
5. decidir manejar su carro	☐	☐
6. hacer mucho calor	☐	☐
7. ver a su novia con un hombre	☐	☐
8. llevar gafas	☐	☐
9. entrar en el bar del hotel	☐	☐
10. no ver un camión aparcado	☐	☐
11. ser alto y moreno	☐	☐
12. salir del bar	☐	☐
13. sentirse muy triste	☐	☐
14. beber muchísimo	☐	☐
15. sufrir un accidente	☐	☐
16. parecer muy contentos	☐	☐
17. llevarlo al hospital en una ambulancia	☐	☐

B. La narración. Escribe lo que le pasó a Alejandro la noche del accidente ordenando lógicamente la información anterior. Usa el pretérito y el imperfecto. Añade los detalles que quieras.

Alejandro _____

_____

_____

_____

_____

_____

_____

C. La investigación. Después de una semana, Alejandro salió del hospital pero tuvo que responder a algunas preguntas de la policía de San José. Responde a las preguntas de Alejandro sobre la noche del accidente.

POLICÍA: ¿Adónde fue la noche del accidente?

ALEJANDRO: _____

POLICÍA: ¿Por qué fue allí?

ALEJANDRO: _____

POLICÍA: ¿Con quién estaba su novia?

ALEJANDRO: _____

POLICÍA: ¿Le vieron ellos a usted?

ALEJANDRO: _____

POLICÍA: ¿Qué estaban haciendo ellos?

ALEJANDRO: _____

POLICÍA: ¿Cuánto bebió?

ALEJANDRO: _____

POLICÍA: ¿Por qué decidió manejar su auto esa noche?

ALEJANDRO: _____

POLICÍA: ¿Dónde quería ir cuando salió del bar?

ALEJANDRO: _____

POLICÍA: ¡Sr. Vargas, creo que vamos a retirarle su licencia de manejar por unos meses!

3-11 La carta de Isabel. Alejandro recibió una carta de su ex-novia Isabel explicándole lo que pasó la noche trágica del accidente. Complétala con el pretérito o el imperfecto de los verbos entre paréntesis.

Querido Alejandro:

Ayer (1) _____ (saber) que ya estabas fuera del hospital y quiero explicarte algo.

La noche de tu accidente (2) _____ (conocer) a un hombre en el bar del hotel.

(3) _____ (querer-yo) hablar contigo pero no te (4) _____

(encontrar) en la habitación. Después, (5) _____ (descubrir) que estabas en el

hospital. Yo no (6) _____ (poder) hacer nada por ti en Costa Rica, así que

(7) _____ (regresar) a España con este hombre en el primer vuelo que

encontramos. Cuando llegué a Madrid, (8) _____ (tener) que hablar con mis

padres y explicarles el asunto. Mis padres no (9) _____ (querer) aceptar a mi

amigo y le obligaron a salir de casa. Dos días más tarde (10) _____ (poder)

ponerme en contacto con tu hospital y me dijeron que estabas mejor. Ahora sé que te quiero y que

ese hombre no significa nada para mí. Por favor, llámame. Necesito hablar contigo.

Isabel

III. Cultura

3-12 Una cantante latina. Eres periodista. Ayer entrevistaste a la cantante cubana Gloria Estefan y solamente tomaste algunas notas. Escribe toda la entrevista de acuerdo con las notas que tomaste.

> **Modelo:** **Periodista:** (salir de Cuba) / Gloria: (1961)
>
> **Periodista:** *¿Cuánto hace que tú saliste de Cuba?*
>
> **Gloria:** *Hace X años que salí de La Habana.*

1. Periodista: (empezar a cantar) / Gloria: (1975)

   PERIODISTA: _____

   GLORIA: _____

2. Periodista: (grabar el disco *Eyes of Innocence*) / Gloria: (1984)

   PERIODISTA: _____

   GLORIA: _____

3. Periodista: (componer el primer álbum en solitario) / Gloria: (1989)

   PERIODISTA: _____

   GLORIA: _____

4. Periodista: (sufrir el accidente de autobús) / Gloria: (1990)

   PERIODISTA: _____

   GLORIA: _____

5. Periodista (presentar el álbum *Mi tierra*) / Gloria: (1993)

   PERIODISTA: _____

   GLORIA: _____

6. Periodista (visitar a Bill Clinton) / Gloria: (1999)

   PERIODISTA: _____

   GLORIA: _____

3-13 La diversidad geográfica de Latinoamérica. Busca en tu atlas qué son los siguientes accidentes geográficos e identifica si se hallan *al norte, al sur, al este* o *al oeste* del país.

> **Modelo:** Patagonia (Argentina)
>
> ES: *una región*   ESTÁ: *al sur de Argentina*

ACCIDENTES	ES:	ESTÁ:
1. Titicaca (Bolivia)	_____	_____
2. Los Andes (Argentina)	_____	_____
3. Amazonas (Perú)	_____	_____
4. Aconcagua (Argentina)	_____	_____
5. El Yunque (Puerto Rico)	_____	_____
6. Cozumel (México)	_____	_____

IV. Ampliación

3-14 Las claves. Los señores Cunqueiro les mandaron a sus hijos estas fotos para que averiguaran dónde estaban de vacaciones y qué preparativos habían hecho antes. Ahora los hijos están reconstruyendo la información con los verbos **irse, salir, partir, dejar** en el pretérito.

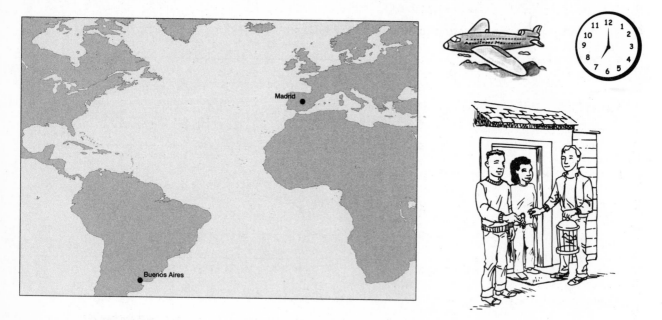

Papá y mamá…

1. _____

2. _____

3. _____

4. _____

Nombre: _____   Fecha: _____

3-15 El ecoturismo en el Perú. Cada día son más populares las propuestas de viajes para disfrutar de las bellezas naturales de un país. Aquí tienes posibles visitas a diferentes regiones del Perú.

Observación de la naturaleza – Ecoturismo

La naturaleza, su observación y estudio constituyen una de las formas excitantes del turismo. En el Perú, el fabuloso Imperio de los Incas, la práctica del ecoturismo es ideal, ya que se tienen todas las posibilidades en sus tres regiones: costa, sierra y selva. Aquí podemos observar la flora más rica del mundo: formaciones geológicas y volcánicas de indescriptible antigüedad; es decir, un paraíso para el estudioso de la naturaleza.

Manu (Región—Inca)

Parque Nacional y Reserva Biosfera del Manu (1.881.200 hectáreas). Mayor riqueza biológica del mundo: 1.000 especies de aves, 13 especies de monos, 2.000 a 5.000 especies de plantas con flores. Clima tropical cálido y húmedo (100/70°F, 37/21°C). Lluvias de noviembre a marzo. La altura varía de 365 a 4.000 m. Precipitación anual en zona baja 4.000 mm.
Acceso: Charters y vuelos de itinerario desde Lima y Cuzco a Puerto Maldonado. Bus desde Cuzco.

Cañón del Colca (Región—Arequipa)

Paisaje imponente. El Cañón del Colca es el más profundo del mundo. Se puede apreciar el cóndor. Clima seco (días soleados, noches frescas). Altura 2.700 m, 75/42°F, 23/5°C. Lluvias de diciembre a marzo. Albergue en Achoma, cerca al cañón.
Acceso: A 143 km de Arequipa. Vuelos desde Lima, Cuzco y Puno. Tren de Puno.

Paracas - Ica (Región—Libertadores)

Reserva Nacional que comprende tierra y mar. Rica fauna marina. Excursiones a Islas Ballestas en yates. Clima cálido y seco (85/50°F, 30/10°C). Prácticamente no llueve, pero hay mucho viento. Hoteles en Balneario y en Ica.
Acceso: 288 km de Lima por la carretera Panamericana Sur hasta Pisco, puerto cercano a Paracas.

Lago Titicaca (Región Moquegua—Tacna-Puno)

Reserva Nacional del Titicaca: Lago navegable más alto del mundo. Superficie 816 km². Profundidad máxima 281 m. Transparencia del agua de 65 a 15 m. Fauna y flora variada. Clima soleado, seco y frío (66/32°F, 20/0°C). Altura del lago 3.808 m. Lluvia de diciembre a abril. Precipitación promedio anual 728 mm.
Acceso: Vuelos frecuentes de Lima y Arequipa a Juliaca (Puno). Tren de Cuzco y Arequipa.

Iquitos (Región—Amazonas)

Iquitos está a orillas del río Amazonas, el más caudaloso del mundo. Se puede viajar en cruceros o internarse en la selva. Altura 100 m. Clima cálido y húmedo (100/70°F, 37/21°C). Albergues turísticos desde 30 minutos hasta 6 horas de Iquitos.
Acceso: Vuelos desde Lima, de Miami (EE.UU.) o Manaus (Brasil).

Mi viaje favorito. Estás pensando participar en uno de los viajes ecoturistas de Perú. Elige uno de los viajes y explica tres cosas que vas a hacer en la región visitada.

1. Viaje elegido: _____

2. Tres cosas que quiero hacer allí:

_____

_____

_____

3-16 A. Los lugares. En el mapa, busca y marca cuatro de los lugares mencionados en la información sobre viajes "naturales" que se pueden hacer en Perú.

B. Decisiones. Lee la descripción de las cuatro regiones que marcaste y da tu opinión sobre cada una de ellas.

REGIÓN _____

me encanta: _____

no me gusta: _____

REGIÓN _____

me fascina: _____

no me importa: _____

REGIÓN _____

me gusta: _____

no me interesa: _____

REGIÓN _____

me interesa: _____

me disgusta: _____

3-17 Mi país. Las canciones sobre lugares y sobre los sentimientos que nos inspiran ciertos sitios son muy populares. Escribe la primera estrofa de una canción sobre un viaje inolvidable que hiciste por tu país. Repasa el vocabulario del capítulo para incluir las palabras que necesites.

Salí a descubrir _____.

Volé _____

Llegué _____

Viajé _____

Conocí _____

Nombre: _____   **Fecha:** _____

Repaso 1

R1-1 Familia, emigración, viajes. Marca con un círculo la palabra que no pertenezca al grupo.

1. suegra	cuñado	yerno	hermana
2. calvo	lacio	ondulado	rizado
3. vago	agradable	envidioso	insensato
4. refugiado	emigrante	lucha	obrero migratorio
5. maltrato	prejuicio	racismo	bienestar
6. mudarse	sudar	emigrar	establecerse
7. pescar	despegar	aterrizar	abordar el avión
8. disfrutar	divertirse	arrojarse	pasarlo bien
9. navegar	quemarse	broncearse	tomar el sol

R1-2 Los viajes. La hermana de Manolo está visitando Costa Rica. Completa el párrafo con las palabras adecuadas y haz los cambios necesarios.

> agradable   bosque   compartir   encantar   extrañar   frontera   nivel de vida   país   según

Mi hermana está de vacaciones en Costa Rica con dos amigos. Viajan juntos y

(1) _____ la misma habitación en los hoteles para no gastar tanto

dinero. A los tres les (2) _____ Costa Rica. Ella dice que es un

(3) _____ bellísimo, con muchos (4) _____ y playas.

(5) _____ ella, lo mejor de Costa Rica es su naturaleza.

La gente costarricense es muy (6) _____ y tiene un buen

(7) _____, en comparación con la gente de otros países

latinoamericanos. Mi hermana me dice que está muy contenta en Costa Rica pero que

me (8) _____ mucho. ¡A mí también me gustaría estar con ella! La

próxima semana ella y sus amigos van a cruzar la (9) _____ y pasar unos

días en Nicaragua. Regresan a Albuquerque el próximo viernes porque mi otra hermana se

casa al día siguiente.

R1-3 La boda de Julia. La otra hermana de Manolo va a casarse el próximo sábado y en su casa todos están muy contentos y ocupados con los preparativos. Completa el párrafo sobre Julia con la forma correspondiente de los verbos **ser** y **estar**.

Nosotros (1) _____ muy contentos por la boda de Julia.

(2) _____ el próximo sábado a las 5 de la tarde en la Iglesia del

Carmen. La recepción (3) _____ en un restaurante típico donde sirven

comida mexicana. Julia (4) _____ un poco nerviosa, pero yo creo que sin

razón. La verdad (5) _____ que todo ya (6) _____

preparado.

Carlos, su novio, (7) _____ simpático y se lleva bien con nuestra familia.

Ahora Julia y él (8) _____ planeando qué lugares van a visitar durante su

luna de miel en España.

R1-4 Los parientes de México. Manolo visitó México el año pasado y se quedó en la casa de unos parientes. Completa la información sobre su viaje con la palabra correcta.

| casado con hablando de vacaciones en la costa de acuerdo muy listo muy grande |

El año pasado estuve (1) _____ en México, donde viven casi todos mis

parientes. Nuestra familia es (2) _____ y puedo viajar por todo el país

sin tener que buscar hotel. Mi primo Armando vive cerca de Veracruz; su casa está

(3) _____ y decidí quedarme allí una semana porque necesitaba descansar

después del largo viaje en autobús . Mi primo está (4) _____ una mujer

muy amable que me hizo sentir muy cómodo. Pablo, su hijo, es (5) _____

y quiere estudiar inglés en una universidad americana. Su madre lo apoya mucho pero mi

primo no está (6) _____ con ellos y cree que Pablo debe estudiar en

México. Una noche estuvimos (7) _____ sobre los planes de Pablo y creo

que ahora Armando le va a permitir venir a Nuevo México con nosotros y estudiar aquí.

R1-5 Las dos hermanas. Manolo está comparando a Julia y Rebeca, sus dos hermanas. Escribe las comparaciones de Manolo basándote en la información que hay a continuación.

Modelo: **Julia**   **Rebeca**

tiene 23 años   tiene 20 años

Julia es mayor que Rebeca.

Julia   **Rebeca**

1. Trabaja 4 horas diarias.   Trabaja 8 horas diarias.
2. Habla por teléfono con frecuencia.   Habla por teléfono muy poco.
3. Es un poco nerviosa.   Es muy tranquila.
4. Tiene muchos amigos.   Tiene pocos amigos.

1. _____
2. _____
3. _____
4. _____

R1-6 Un día accidentado. Manolo y su familia no tuvieron un buen día. Completa la información sobre su día usando uno de los verbos que hay a continuación en estructuras con **se + objeto indirecto**.

descomponer	escapar	quemar	perder

Ayer tuvimos un mal día. A mí (1) _____ _____ _____ el perro

en la calle y casi lo mató un coche. A Julia (2) _____ _____ _____

todos sus documentos y ahora necesita volver a pedirlos. A Carlos y a ella

(3) _____ _____ _____ el coche y el mecánico les cobró mil dólares por

arreglarlo. Y para terminar, a mi madre y a mí (4) _____ _____ _____

dos pasteles de manzana porque nos pusimos a ver la tele y nos olvidamos de que estaban en

el horno.

R1-7 Opiniones de la familia. Rebeca y sus amigos de Costa Rica están compartiendo algunas opiniones propias y de su familia sobre los hispanos. Escribe sus ideas añadiendo las palabras necesarias y teniendo cuidado con la conjugación de los verbos.

1. a ti / disgustar / noticias sobre las condiciones de los emigrantes
2. a mí / molestar / actitudes racistas de algunas personas
3. a mi madre / fascinar / la comida que prepara mi abuela mexicana
4. a Carlos y a mi hermana Julia / caer bien / nuestro vecino guatemalteco
5. a todos nosotros / parecer / debemos mantener nuestra herencia latina

1. _____
2. _____
3. _____
4. _____
5. _____

R1-8 David y Cristina. David y Cristina son dos amigos cubanos de Julia que estudian con ella en la universidad. Los tres están hablando sobre Cuba y cocinando comida cubana. Escribe lo que dicen los amigos uniendo la información de las tres columnas.

1. A mi madre	me encanta	unos plátanos para hacer el arroz a la cubana
2. A ti	nos interesan	la música cubana
3. A mí	les molesta	la política del gobierno hacia Cuba
4. A algunos estudiantes	no le quedan	muchos parientes en Cuba
5. A nosotros	te faltan	las noticias sobre Cuba

1. Cristina: _____
2. David: _____
3. Julia: _____
4. David: _____
5. Cristina: _____

Nombre: _____   Fecha: _____

R1–9 La historia de mi familia materna. Julia les está contando la historia de su familia materna a sus amigos cubanos. Completa su narración con el pretérito o el imperfecto de los verbos entre paréntesis.

Mis abuelos (1) _____ (emigrar) a California en 1944.

(2) _____ (ser) los años de la segunda guerra mundial y las fábricas

(3) _____ (necesitar) trabajadores porque muchos americanos

(4) _____ (estar) luchando en Europa. Cuando (5) _____

(llegar) no tuvieron problemas para encontrar trabajo. A los dos años (6) _____

(comprar) un coche y una casa. Mi madre (7) _____ (nacer) en 1950.

Cuando (8) _____ (ser) niña (9) _____ (hablar)

solamente español, pero en la escuela (10) _____ (empezar) a estudiar

inglés y lo (11) _____ (aprender) rápidamente. Mis abuelos

(12) _____ (estar) muy orgullosos de ser mexicanos y no

(13) _____ (querer) perder el contacto con su familia y su cultura

mexicana, por eso todos los veranos (14) _____ (volver) a Hermosillo.

Un verano, cuando mi madre (15) _____ (tener) 18 años,

(16) _____ (conocer) a mi padre, que también (17) _____

(ser) hijo de una familia de emigrantes. La familia de mi padre (18) _____

(vivir) en Nuevo México y mis padres no (19) _____ (poder) verse mucho

durante el año, pero se (20) _____ (escribir) muchas cartas y

(21) _____ (pasar) el verano juntos en Hermosillo. Por fin, en 1972,

(22) _____ (casarse) y (23) _____ (venir) a vivir a

Albuquerque. El resto, es ya mi historia.

R1-10 Los abuelos paternos. Para terminar, Julia cuenta también cómo se conocieron sus abuelos paternos. Completa su narración con el pretérito o el imperfecto de los verbos entre paréntesis.

El abuelo Luis

Mi abuelo (1) _____ (tener) que emigrar a los Estados Unidos porque era el mayor de una familia muy pobre y necesitaba mandar dinero a sus padres. Mi abuelo no (2) _____ (saber) inglés y por eso sus primeros dos años aquí fueron muy difíciles. Por suerte, antes de venir (3) _____ (conocer) a otros jóvenes de su ciudad que también vinieron a trabajar con él. Después de muchos años de trabajar muy duro, (4) _____ (poder) abrir su propio restaurante.

La abuela Pilar

La abuela (5) _____ (conocer) al abuelo el día de Nochebuena. Su hermano tuvo un problema con el camión en la carretera y no (6) _____ (poder) llegar a casa a tiempo para la cena si alguien no lo ayudaba. Un joven mexicano que también trabajaba con un camión, paró y lo trajo a casa. Lo invitamos a quedarse a cenar pero el joven no (7) _____ (querer) aceptar la invitación. Mi abuela era camarera y vio de nuevo al joven en el restaurante donde trabajaba. Él iba al restaurante cada vez con más frecuencia y por fin, un día, la invitó al cine. Así empezó todo. Mi abuela (8) _____ (saber) después que aquella primera Nochebuena mi abuelo cenó solo y pensó en ella toda la noche.

4-4 El insomnio. Josefina presta ahora mucha atención a su salud. Estos son algunos de los consejos que le dio ayer a Elvira para evitar el insomnio y sentirse bien. Escribe los consejos de Josefina uniendo la información de las tres columnas lógicamente.

1. Es importante	hacer ejercicios relajantes	dos o tres horas antes de acostarte
2. Es mejor	tomar pastillas	en el trabajo
3. Tienes que	tomar café con cafeína	para dormir
4. Debes	evitar el estrés	antes de acostarse
5. No es bueno	tratar de dormir	con regularidad
6. No es necesario	cenar	por lo menos seis horas diarias

Elvira:

1. _____

2. _____

3. _____

4. _____

5. _____

6. _____

II. Gramática

Referencia gramatical 1

4-5 ¡Cuidado con los medicamentos! Rafael tuvo algunos problemas serios el mes pasado a causa de un medicamento. Completa el párrafo sobre Rafael con las siguientes expresiones con **para**.

para bien	para colmo	para siempre	para variar

El mes pasado Rafael tuvo un fuerte resfriado. Un día se levantó con mucho dolor de garganta y

(1) _____ , le estuvo molestando el estómago toda la mañana. Generalmente

tomaba jarabe, pero ese día decidió tomarse unas pastillas (2) _____ . Salió

de casa en la moto y tuvo un pequeño accidente porque las pastillas le hicieron sentirse

mareado. Se hizo una herida grande en la mejilla y probablemente va a tener una cicatriz

(*scar*) (3) _____ . Sus padres y su novia se asustaron tanto que Rafael

decidió, (4) _____ de todos, vender la moto.

4-6 En el consultorio médico. Ramón fue al consultorio porque quería hacer régimen para adelgazar. Marca la expresión con **por** que sea necesaria para completar el diálogo lógicamente.

RAMÓN: Doctora Robles, quiero ponerme a régimen porque cada día estoy más gordo. (Por lo menos / Por si acaso) quiero adelgazar diez kilos.

MÉDICA: Ramón, (por de pronto / por fin) vamos a hacerte un análisis de sangre. (Por lo tanto / Por cierto), ¿estás muy estresado en el trabajo?

RAMÓN: Bastante. Estamos trabajando en un proyecto muy importante y (por casualidad / por eso) no tengo tiempo para cocinar ni casi para dormir.

MÉDICA: Ya veo. Seguramente cuando vas a casa estás tan cansado que llamas a la pizzería, (por último / por ejemplo), y te comes una pizza sin darte cuenta.

RAMÓN: Pues sí, doctora. Hago eso casi todas las noches.

MÉDICA: Bueno, (por ahora / por lo menos) vamos a hacer los análisis (por si acaso / por un lado) tienes algún problema de salud. Si estás bien, vas a ir a un nutricionista para empezar un régimen efectivo y fácil de seguir. Pero debes olvidarte del teléfono de la pizzería durante un tiempo

RAMÓN: ¡(Por lo tanto / Por supuesto), doctora!

4-7 A dieta. A Antonia no le gusta estar a dieta pero necesita adelgazar unas libras. Ahora está muy contenta porque encontró una dieta que no le cuesta muchos sacrificios. Completa los espacios en blanco con **por** o **para**.

¡Estoy otra vez a dieta! (1) _____ suerte esta dieta es (2) _____ gente como yo. Es una

buena dieta (3) _____ adelgazar sin muchas restricciones; si prohiben algo, lo reemplazan

con otra cosa. (4) _____ ejemplo, no permiten comer pan blano pero se puede comer pan

integral. También cambian el arroz blanco (5) _____ arroz integral; o las pastas (6) _____

pastas hechas con harina integral. Básicamente la dieta consiste en comer muchos vegetales y

proteínas. (7) _____ supuesto que todos los dulces y los postres están prohibidos pero

puedo comer frutas. En el verano hice esta dieta (8) _____ un mes y me sentía muy bien.

Ahora quiero perder diez libras (9) _____ antes de la Navidad. (10) _____ una gordita

como yo, no es mucho pero me ayudará a verme mejor.

4-11 ¿Estás deprimido? Ana leyó en una revista una lista de sugerencias sobre lo que debe y no debe hacer una persona con depresión. ¿Qué piensas tú?

A. Indica cuáles son las cosas que debe o no debe hacer:

	DEBE	NO DEBE
1. decir siempre cómo te sientes	☐	☐
2. ser muy exigente contigo mismo	☐	☐
3. quedarte solo en casa los fines de semana	☐	☐
4. hacer una lista de 10 cosas positivas que vas a hacer en el próximo mes	☐	☐
5. ir a clases de yoga	☐	☐
6. salir con personas optimistas	☐	☐
7. dormir muy poco	☐	☐
8. tener un trabajo que requiere mucha concentración y energía	☐	☐
9. tener cuidado con lo que comes	☐	☐

B. Vuelve a escribir ahora los consejos usando los mandatos informales (tú) en la forma afirmativa o negativa, de acuerdo con la información.

1. _____

2. _____

3. _____

4. _____

5. _____

6. _____

7. _____

8. _____

9. _____

4-12 Un día especial. Ahora que Javier ya está mejor después de su ataque al corazón, Ana y él están pensando en hacer algo especial para celebrar su recuperación. Escribe las ideas de Javier y Ana usando los verbos siguientes en la forma **nosotros** de los mandatos.

comer	empezar	hacer	invitar	ir	salir	servir

Modelo: *¡Comamos algo especial!*

1. _____

2. _____

3. _____

4. _____

5. _____

6. _____

4-13 Opiniones. Cecilia le está dando a su hermana Carmen su opinión sobre lo que ésta quiere hacer. Completa las opiniones de Cecilia usando los mandatos informales y el pronombre necesario.

Modelo: CARMEN: Voy a ir a la farmacia para comprar aspirinas.

CECILIA: Sí, cómpralas.

1. CARMEN: Voy a ir al médico para ponerme a régimen.

   CECILIA: No, _____

2. CARMEN: Tengo que hacer ejercicio.

   CECILIA: Sí, _____

3. CARMEN: Quiero beber cerveza.

   CECILIA: No, _____

4. CARMEN: Debo comer verduras.

   CECILIA: Sí, _____

5. CARMEN: Necesito acostarme más temprano.

   CECILIA: Sí, _____

6. CARMEN: Quiero dejar mi trabajo.

   CECILIA: No, _____

4-14 La gripe. Roberto tiene una gripe muy fuerte y su madre le habla por teléfono y le da algunos consejos. Escribe los consejos de la madre uniendo los verbos de la izquierda con la información de la derecha. Usa los mandatos informales (**tú**) en la forma negativa o afirmativa.

1. beber   a. al trabajo
2. hacer   b. ejercicios físicos fuertes
3. ir   c. en la cama unos días
4. ponerse   d. mucho líquido
5. quedarse   e. la temperatura todos los días
6. salir   f. antibióticos sin receta médica
7. tomar   g. una bufanda al salir a la calle
8. tomarse   h. por la noche con los amigos

III. Cultura

4-15 Salvador Moncada. Ayer encontraste en un periódico español un artículo sobre el científico Salvador Moncada. Léelo y completa después la información.

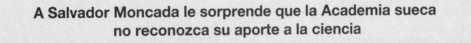

A Salvador Moncada le sorprende que la Academia sueca no reconozca su aporte a la ciencia

El laboratorio de Salvador Moncada, científico hondureño, demostró la importancia del óxido nítrico en el organismo. A pesar de esto, la Academia sueca le dio el premio Nobel de Medicina a los científicos estadounidenses Robert Furchgott, Louis Ignarro y Ferid Murad, grupo que postuló la hipótesis sobre la importancia de dicho químico para la vida humana.

Moncada nos dijo que en 1986 se habían postulado varias teorías sobre la intervención del óxido nítrico en las enfermedades cardiovasculares, pero fue su equipo el primero en establecer los mecanismos bioquímicos que demostraban la teoría. Lo importante para Moncada es poder demostrar cuál teoría es válida y cuál no lo es.

Gracias a las investigaciones del científico hondureño se estableció que el óxido nítrico contribuye a la dilatación de las venas lo cual ayuda a prevenir enfermedades cardiovasculares como la trombosis o la arterioesclerosis.

A pesar de todo, Moncada reconoce que los premios no son todo, él no se desanima y sigue conduciendo investigaciones de alta calidad.

1. Salvador Moncada es un _____ de _____ .

2. En el laboratorio de Moncada demostraron lo importante que es _____

    _____ .

3. El óxido nítrico influye en las enfermedades _____ .

4. El equipo de Moncada demostró que las teorías de los estadounidenses

    _____ eran ciertas.

4-16 Gran Hotel de La Toja. Estás pensando en ir a pasar una semana a un hotel-balneario español. Lee la información sobre él y elige después las respuestas correctas. Si no sabes lo que es un balneario, lee primero la información del ejercicio **4-18**.

A. Antes de leer

1. Averigua dónde está situada Pontevedra.

   a) al noreste de España

   b) al noroeste de España

   c) al sur de España

2. Averigua en qué región está Pontevedra.

   a) Andalucía

   b) Cataluña

   c) Galicia

Gran Hotel de la Toja

Balneario y club termal

El Gran Hotel está ubicado en la isla de La Toja, frente a la península de O'Grove, llamado también "Paraíso del Marisco". Es considerado como uno de los mejores establecimientos de España. Con su nuevo Centro Termal, ha logrado combinar "Termalismo", "Talasoterapia" y "Salud y belleza", siendo una de las instalaciones balneoterápicas más modernas de Europa.

Características de las aguas:
Clorurado sódicas, radioactivas, bromuradas, ferruginosas a una temperatura de 60°C.

Indicaciones terapéuticas:
Reumáticas, rehabilitación, enfermedades de la piel, respiratorias, otorrinolaringología, tratamientos preventivos para niños. Programas antistress, psicodinamizantes, de belleza, adelgazamiento y antecelulíticos.

Técnicas:
Bañeras de hidromasajes, chorros, ducha escocesa, saunas, fangos, UVA, masajes, baños termales.

Accesos y comunicaciones:
Aeropuerto de Santiago de Compostela (80 km) y Vigo (60 km), estaciones de ferrocarril de Pontevedra y Villagarcía (30 km) y Grove (1,5 km)

Servicios en el Balneario-Hotel:
Sala de estética, gimnasio, sauna, solárium, laser, peluquería. Bar, restaurante, cafetería, salones, tiendas, pabellón de congresos, salas de reuniones.
Piscina exterior y piscina termal cubierta. Campo de golf de 9 hoyos, complejo deportivo con piscina olímpica, tenis, paddle. Gimnasio. Casino. Pabellón de congresos.
Habitaciones con baño completo, calefacción, secador, radio, mini bar y TV color (antena parabólica).

Lugares de interés histórico-artístico:
Pontevedra (30 km), Santiago de Compostela (80 km.), varios paseos en la zona (Cambados, La Oca...), Monasterios de Poyo, La Armentería.

Paseos y excursiones:
En barco por la Ría, paseos por las playas, la isla y península del Grove, Vigo, La Guardia, Bayona.

Fiestas populares:
El Carmen, patrona de los pescadores (16 de julio), Nuestra Señora de la Lanzada (30 de agosto), Fiesta de la exaltación del Marisco (12 de octubre)

Especialidades gastronómicas:
Toda clase de mariscos y pescados, vinos blancos de la zona del Salnés (Albariño, Ribeiro).

Programas.
En todos los programas (excepto los de 2 y 3 días), se incluye la visita médica y un seguimiento personal y profesional, además de los tratamientos que se indican.

B. Di qué información es cierta, de acuerdo con el texto, marcando con una **C** las ideas correctas.

a) Sólo los programas de 2 y 3 días incluyen la visita médica.   _____

b) El hotel está situado en una isla.   _____

c) El hotel-balneario está dedicado a las enfermedades del corazón.   _____

d) Algunas de las técnicas que usan son las hierbas, la acupuntura y la homeopatía.   _____

e) En el hotel hay varias piscinas.   _____

IV. Ampliación

4-17 La hermana mayor. Cristina es la mayor de cinco hermanos y ellos siempre le piden consejo cuando tienen problemas. Escribe los consejos de Cristina usando mandatos informales (**tú**).

CARLOS: Cristina, todas las mañanas me duele la cabeza.

CONSEJO DE CRISTINA: _____

MÓNICA: Cristina, últimamente tengo náuseas y vómitos.

CONSEJO DE CRISTINA: _____

LOLA: Cristina, el invierno pasado engordé diez kilos y no sé cómo adelgazar.

CONSEJO DE CRISTINA: _____

GONZALO: Cristina, esta noche viene mi novia a cenar y no sé qué cocinar.

CONSEJO DE CRISTINA: _____

JORGE: Cristina, quiero ir a un balneario pero no sé dónde hay uno.

CONSEJO DE CRISTINA: _____

4-18 Los balnearios. Antes de ir a La Toja estuviste leyendo algo sobre los balnearios. Responde a las preguntas y explica después si vas o no vas a ir a uno.

¿Qué son los balnearios?

El uso de aguas termales para la curación de ciertas enfermedades crónicas del aparato locomotor, respiratorio y digestivo es llamado *termalismo*. Estas aguas minerales con propiedades medicinales han sido usadas desde hace más de 2000 años. En algunos casos pueden ser ingeridas por la boca o pueden usarse en forma de inhalaciones, baños, lodos, saunas, etc., sin efectos secundarios. La composición química varía de un lugar a otro, y así también varían sus propiedades terapéuticas.

Para enfermedades de la piel, o el aparato respiratorio y el locomotor, se recomiendan las aguas sulfuradas. Mientras que las aguas sódicas son consideradas estimulantes. Las aguas ricas en hierro ayudan a la regeneración de la sangre, los casos de anemia, las enfermedades de la piel y también colaboran con los regímenes para adelgazar. Para las personas estresadas, ansiosas o depresivas se recomiendan las aguas radiactivas las cuales tienen efectos sedantes y analgésicos. Mientras que las aguas sulfatadas tienen efectos laxantes y diuréticos. Para problemas con el aparto digestivo se recomiendan las aguas bicarbonatadas.

Las aguas termales no sólo sanan sino que también previenen las enfermedades, regeneran el cuerpo y proporcionan descanso a la mente. Por esto los balnearios modernos se han convertido en lugares de vacaciones que proveen diversiones para personas de todas las edades. Además de las aguas termales se ofrecen paseos, actividades culturales y deportivas, excursiones y otras atracciones para que los visitantes tengan unas vacaciones regeneradoras del cuerpo, la mente y el espíritu.

A. Preguntas:

1. ¿Para qué tipos de enfermedades son buenas las aguas termales?

   _____

2. ¿Desde cuándo se utilizan las aguas termales para tratar enfermedades?

   _____

3. ¿Qué efectos tienen las aguas sódicas?

   _____

4. ¿Para qué son buenas las aguas sulfuradas?

   _____

5. ¿Qué tipos de aguas están indicadas para personas con anemia o que quieren hacer régimen?

   _____

6. ¿Qué tipos de agua se recomiendan para personas nerviosas?

   _____

7. ¿Para qué se recomiendan las aguas bicarbonatadas?

   _____

8. ¿Qué ofrecen los balnearios, además de tratamientos para ciertas enfermedades?

   _____

B. Decisión: Explica en un párrafo si te parece buena o mala idea pasar una semana en un balneario.

_____

_____

_____

_____

4-19 Una receta sana. Todos los meses el hotel-balneario de La Toja publica algunas de las recetas sanas que se preparan en la cocina. Tú trabajas en el hotel y te ocupas de recoger las recetas. Escribe una de las recetas del mes. Puede ser una bebida o una comida.

Nombre: _____

Ingredientes: _____

_____

_____

_____

_____

Preparación (usa los mandatos formales)

_____

_____

_____

_____

_____

_____

_____

_____

5-3 Un parque público. En el pueblo de San Fernando se publicó un anuncio para invitar a todos los vecinos a participar en la construcción de un parque público para el municipio. Completa el anuncio de la alcaldesa con la forma correcta del verbo adecuado.

alcanzar	conseguir	lograr	obtener

UN PARQUE PARA TODOS

Ciudadanos:

El año pasado nuestro municipio (1) _____ un nuevo terreno para la construcción de un parque público. El mes pasado, por fin (nosotros) (2) _____ los 10.000 árboles gratis que habíamos pedido al Servicio de Parques Nacionales. Queremos plantar todos los árboles el próximo fin de semana. Para (3) _____ nuestro objetivo necesitamos la ayuda de todos. Por fin vamos a (4) _____ tener el parque con el que siempre hemos soñado. ¡Vengan todos el sábado y el domingo y planten un árbol!

La alcaldesa.

5-4 Elecciones municipales. Uno de los candidatos a alcalde del municipio de Santa Rosa habló para un grupo de ciudadanos. La grabación de su discurso no es buena y ahora un periodista del periódico local está imaginando cuáles son las palabras que se borraron. Ayúdalo a reconstruir el discurso con algunas de las expresiones para influir y tratar de convencer a otros y las expresiones para expresar opinión.

(Yo) creo que…	Debe(s) pensar que…
(Yo) opino que…	Hay que tener en cuenta que…
(Yo) pienso que…	Tenemos que darnos cuenta de que…
A mí me gusta…	Hay que considerar que…
A mí me parece que…	Por un lado…
Es importante saber que…	Por otro (lado)…
Estoy seguro/a de que…	
Yo detesto…	

"…hay que (1) _____ en _____ que este municipio necesita la ayuda de todos para reducir el volumen de basura diaria. Por (2) _____ es necesario que las autoridades abran un centro de reciclaje y recojan cartones, vidrios y plásticos de los contenedores de las aceras; por (3) _____ es importante que todos los ciudadanos se mentalicen de que proteger el medio ambiente es un deber de todos. Estoy (4) _____ de que con un poco de esfuerzo podemos lograr grandes objetivos. Yo (5) _____ que dentro de unos años todos los ciudadanos de Santa Rosa van a producir menos basura y van a sentirse mejor sobre su ciudad. Tenemos que (6) _____ de que si seguimos derrochando y contaminando a este ritmo, nuestra ciudad se va a convertir en un gran basurero. ¡Yo (7) _____ que la gente tire los botes de aluminio y los papeles en cualquier lugar!"

II. Gramática

Referencia gramatical

5-5 Ciudadanos conscientes. El ayuntamiento de la ciudad ha enviado a todas las casas unas sugerencias sencillas para cuidar de las calles y parques de la ciudad. Completa la información con la preposición **a** donde sea necesario.

Saque (1) _____ su perro al parque, pero no se olvide de limpiar después. No ponga (2) _____ el vidrio con el resto de la basura. Si no tiene transporte público cerca, lleve (3) _____ sus vecinos en su coche al trabajo y comparta (4) _____ los gastos de gasolina con ellos. No deje (5) _____ las bolsas de basura en la acera, póngalas en los contenedores. Eduque (6) _____ sus niños a no tirar papeles en la calle. Si cambia (7) _____ los electrodomésticos de la cocina, elija los que consuman menos energía. Cuide (8) _____ la ciudad donde vive como si fuera su propia casa. Escuche (9) _____ otros vecinos que tengan buenas ideas para conservar limpia la ciudad.

5-16 Barcelona. Amalia quiere visitar la biblioteca de la Universidad Pompeu Fabrá de Mataró (Barcelona), y al mismo tiempo ver Barcelona y los edificios de Gaudí, pero antes está averiguando algunos datos básicos sobre la ciudad. Ayúdala a seleccionar las respuestas correctas. Si necesitas ayuda busca la información en el Internet o en la biblioteca.

1. Barcelona es la capital de _____.
   a. Andalucía   b. Cataluña   c. País Vasco

2. Está en la costa del _____.
   a. Mediterráneo   b. Atlántico   c. Cantábrico

3. En Barcelona se hablan dos lenguas: el castellano y el _____.
   a. catalán   b. guaraní   c. vasco

4. En 1992 en Barcelona se celebraron _____.
   a. la Exposición Universal   b. la boda del Rey   c. las Olimpiadas

5. El barrio antiguo de Barcelona se llama _____.
   a. barrio de San Telmo   b. barrio Gótico   c. Coyoacán

6. Una de las calles más famosas de Barcelona es _____.
   a. el Paseo de la Reforma   b. la Avenida del Libertador   c. la Rambla

7. Una montaña famosa de Barcelona es _____.
   a. el Montjuit   b. el Popocatepec   c. el Aconcagua

IV. Ampliación

5-17 Las viviendas bioclimáticas. En su visita a España, Amalia quiere también visitar unas casas bioclimáticas en Málaga y está leyendo esta descripción sobre ellas.

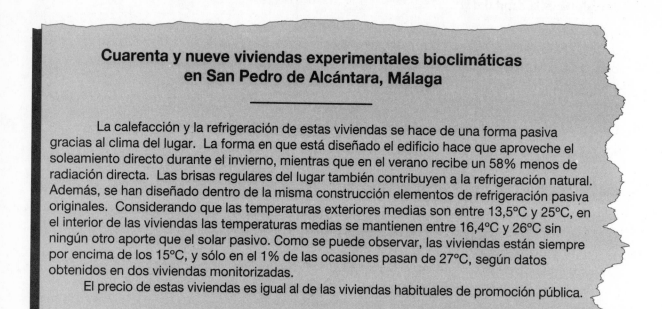

Cuarenta y nueve viviendas experimentales bioclimáticas en San Pedro de Alcántara, Málaga

———————

La calefacción y la refrigeración de estas viviendas se hace de una forma pasiva gracias al clima del lugar. La forma en que está diseñado el edificio hace que aproveche el soleamiento directo durante el invierno, mientras que en el verano recibe un 58% menos de radiación directa. Las brisas regulares del lugar también contribuyen a la refrigeración natural. Además, se han diseñado dentro de la misma construcción elementos de refrigeración pasiva originales. Considerando que las temperaturas exteriores medias son entre 13,5°C y 25°C, en el interior de las viviendas las temperaturas medias se mantienen entre 16,4°C y 26°C sin ningún otro aporte que el solar pasivo. Como se puede observar, las viviendas están siempre por encima de los 15°C, y sólo en el 1% de las ocasiones pasan de 27°C, según datos obtenidos en dos viviendas monitorizadas.

El precio de estas viviendas es igual al de las viviendas habituales de promoción pública.

———————

Amalia le va a mandar un mensaje electrónico a su profesor con los detalles más importantes sobre estas casas. Completa la información que le va a mandar.

1. Número de casas _____ .

2. Las viviendas reciben _____ en el verano.

3. El sol de invierno se aprovecha al máximo gracias a _____.

4. Para la refrigeración natural se aprovecha _____.

5. La temperatura media de las casas está siempre entre _____.

6. Las casas cuestan _____.

5-18 El agujero negro. Lee el siguiente artículo sobre la reducción de la capa de ozono y responde después a las preguntas.

■ La capa de ozono en la mira del CADIC*

El Centro Austral de Investigaciones Científicas—CADIC, dependiente del Consejo Nacional de Investigaciones Científicas y Técnica—CONICET, y ubicado cerca de Ushuaia, Tierra del Fuego, realiza el seguimiento del adelgazamiento de la capa de ozono. El ozono se halla en casi su totalidad en la estratosfera, y, si bien a nivel del suelo es venenoso, el que está presente en la estratosfera es imprescindible.

Su importancia reside en que hace posible la vida sobre la Tierra, pues atenúa ciertos componentes de la radiación solar que son perjudiciales para los seres vivos. La concentración de ozono no es homogénea en toda la superficie terrestre, ya que existe una marcada variación con la latitud, es decir, según nos movemos desde el ecuador hacia los polos.

Los valores de concentración de ozono en el planeta varían entre 230 y 500 UD (unidad de medida), con un promedio mundial de 300 UD; en tanto, la cantidad del mismo varía entre el día y la noche y con la estación del año, siendo máxima en primavera y mínima en otoño. Esta variación estacional es más marcada cerca de los polos que del ecuador.

El ozono absorbe la radiación solar ultravioleta B (UV-B), impidiendo que llegue a la superficie terrestre. En los últimos años se ha observado una disminución en la concentración de ozono debida a la acción de los compuestos denominados halocarbonos (gases producidos por el hombre, que contienen carbono y halógenos—fluor, cromo y bromo). De ellos, los más comunes son los CFC (clorofluorcarbonados).

Hay una pronunciada disminución, de más del 50%, en la concentración de ozono sobre la Antártida y zonas vecinas, que comienza a fines del invierno y se prolonga durante la primavera, y que se denomina "Agujero de Ozono". Éste último fenómeno consiste en la destrucción de un alto porcentaje del ozono estratosférico en el término de pocos días. Finalizada la primavera, los niveles de concentración de ozono vuelven a valores casi normales. El nombre de "Agujero…" se debe a que, en el mapa obtenido por satélites, se ve una zona negra sobre la Antártida, formada por las concentraciones inferiores a 180 UD, las que habían sido descartadas porque se las creyó incorrectas.

En 1987, la NASA, con otras instituciones y universidades de EE.UU., organizó una expedición desde Punta Arenas, Chile, para determinar el alcance y causas del fenómeno. Esta campaña confirmó la existencia del agujero y su relación con la presencia de los CFC.

A causa de los resultados mencionados, la Fundación Nacional de Ciencias de EE.UU. (NSF) decidió instalar una red de espectrorradímetros para el seguimiento de la radiación UV. Estos aparatos miden la radiación solar directa y difusa a nivel del suelo, barriendo el espectro Ultravioleta y Visible. Las mediciones se realizan todo el año, cada hora, durante las horas de luz solar. Las investigaciones, hasta ahora, muestran que durante la primavera Ushuaia se halla bajo el influjo del agujero de ozono, observándose algunos días en que la concentración de ozono llega a ser el 50% de la normal para la época. También durante el verano, en ciertos días hay una leve disminución en la concentración, la cual se debería al pasaje de masas de aire antártico con bajo contenido de ozono, luego de la ruptura del vértice.

*Source: CERIDE. Reprinted with permission.

1. ¿Qué es el CADIC?

_____

2. ¿Qué tipo de trabajo hace?

_____

3. ¿Qué diferencia hay entre el ozono de la superficie terrestre y el de la estratosfera?

_____

4. ¿Dónde se observan más marcadamente las variaciones en el nivel del ozono?

_____

5. ¿De qué nos protege el ozono?

_____

6. ¿Qué ocurre en la Antártida durante la primavera?

_____

7. ¿Por qué se habla de "agujero" de ozono?

_____

8. ¿Con qué se relaciona la aparición del "agujero negro"?

_____

9. ¿Para qué se usan los espectrorradímetros?

_____

10. ¿Qué se ha observado en Ushuaia durante la primavera y durante el verano?

_____

5-19 Un resumen. Vuelve a leer "La capa de ozono en la mira del CADIC" y haz un resumen del mismo en unas ocho líneas. Puedes usar también como referencia las preguntas del ejercicio anterior.

_____

_____

_____

_____

_____

_____

_____

5-20 Buenos propósitos. En los últimos días has estado pensando mucho sobre la importancia de proteger el medio ambiente y has decidido hacer algunas cosas para protegerlo. Estos son tus planes:

Desde este momento voy a _____,

y a _____.

No voy a _____

ni a _____.

6. Capítulo seis
Los derechos humanos

I. Vocabulario

6-1 Los derechos de los pueblos. En un periódico universitario apareció el siguiente crucigrama que contiene vocabulario sobre los derechos humanos. Complétalo.

Horizontales

1. nativo

2. una persona que vive explotada y esclavizada, vive así

3. en muchos países del mundo no se respetan los derechos…

4. atrapar, capturar

5. que ha perdido su herencia cultural o sus señas de identidad

6. grupo organizado de personas que lucha con armas

Verticales

7. director, gobernador, superior

8. cien años es un…

9. prohibir, no permitir

10. gobernadores absolutos, dueños de muchas tierras

11. mujer que cultiva y vive de la tierra

12. desgraciadamente

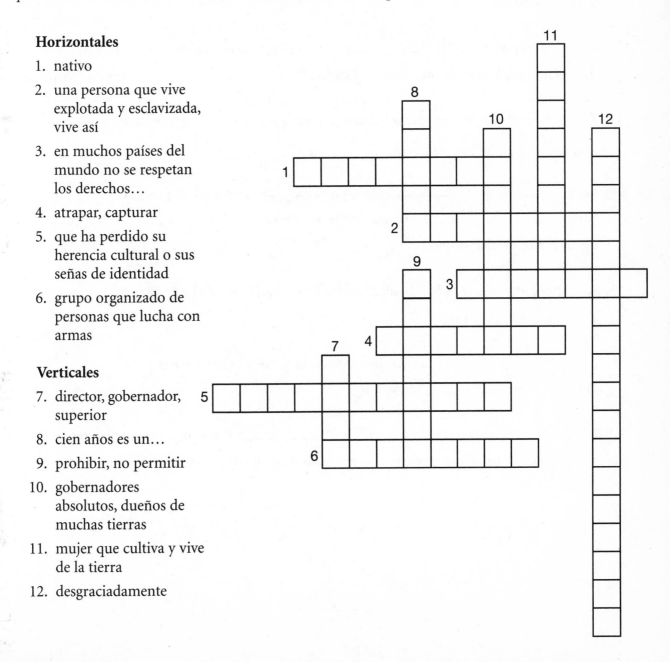

6-2 Algunos datos importantes. En el mismo periódico universitario había también una sección con algunos datos importantes sobre Latinoamérica. Complétala con las siguientes palabras. Haz los cambios necesarios.

costumbre	derecho	destruir	ejército	guerrero	lucha
matar	paz	pueblos	sacerdote	salvar	tierra

1. Hernán Cortés (1) _____ la ciudad azteca de Tenochticlán en 1521. Los

   (2) _____ aztecas no pudieron defender los templos y palacios de su

   grandiosa ciudad.

2. Los incas no pudieron (3) _____ la vida del emperador Atahualpa a pesar de

   todo el oro que le entregaron a Pizarro. Este lo (4) _____ de todas maneras.

3. En Centroamérica, las compañías bananeras americanas como Chiquita Banana son

   dueñas de grandes extensiones de (5) _____

4. El (6) _____ Zapatista de Liberación Nacional empezó su

   (7) _____ armada por la justicia social y los (8) _____

   de los indios en el año 1994.

5. La guerra entre México y los Estados Unidos duró dos años. En el año 1848 los

   dos países firmaron la (9) _____ .

6. Los (10) _____ indígenas exigen que se respeten sus

   (11) _____ y su lengua.

7. En los años sesenta, algunos (12) _____ católicos latinoamericanos

   fundaron una nueva doctrina que se llamó la Teología de la Liberación.

Nombre: _____   Fecha: _____

6-3 Los murales del Palacio Nacional. Rogelio visitó el Palacio Nacional de la Ciudad de México el mes pasado y le escribió a su hermana una carta hablándole sobre la visita. Completa la carta con las palabras siguientes:

a veces	cada vez	época	hora	horarato	horatiempo

9 de noviembre

Querida hermana:

El lunes pasado fui al Palacio Nacional para ver los murales de Diego Rivera. Pasé dos

(1) _____ mirándolos. Algunos murales reflejan la vida de los indígenas

en la (2) _____ anterior a la conquista. Parece que en aquellos

(3) _____ los pueblos indígenas vivían mejor que ahora. Cuando

llegué al Palacio casi no había nadie pero al (4) _____ llegó un grupo

grande de una escuela y los niños empezaron a gritar y a correr por todas partes.

(5) _____ la profesora les decía "silencio" y ellos se callaban, pero

inmediatamente empezaban a gritar. Me pregunto por qué (6) _____

que voy a un museo o un lugar de interés me encuentro rodeado de niños.

Ya te escribiré otra postal desde Chichén Itzá.

Abrazos,

Rogelio

6-4 Ciudad en peligro. Un grupo de arqueólogos visitó una antigua ciudad maya en la selva de Guatemala. Los arqueólogos opinan que las autoridades deben hacer algo para protegerla.

Informe rápido de los arqueólogos sobre la ciudad:

- pirámide muy interesante
- observatorio en ruinas
- ciudad con mucho interés arqueológico
- templo con estatuas curiosísimas
- pinturas hermosísimas en una pirámide

A. Escribe las opiniones de los arqueólogos basándote en el informe rápido que escribieron.

Modelo: • pirámide muy interesante

Pensamos que la pirámide es muy interesante.   (ser)

1. Es evidente que _____ (estar)

2. Nos parece que _____ (tener)

3. Creemos que _____ (haber)

4. Es verdad que _____ (existir)

B. Escribe ahora lo que los arqueólogos piensan que debe hacer el gobierno para salvar la ciudad. Usa las expresiones de obligación y necesidad.

Es necesario…	Hay que…	Tener que…	Deber…

1. _____ conseguir dinero.

2. _____ enviar a un grupo de expertos a la ciudad.

3. _____ estudiar las pinturas de la pirámide.

4. _____ restaurar el observatorio.

5. _____ investigar el significado de las estatuas.

II. Gramática

Referencia gramatical 1

6-5 Los deseos. Pablo es un médico que ahora trabaja en un pueblo de Guatemala y le está explicando a un visitante algunas de las cosas que quieren en el pueblo. Completa la información con el presente de subjuntivo de los verbos entre paréntesis.

1. Los indígenas quieren que los políticos (reconocer) _____ sus derechos. También desean que sus comunidades (tener) _____ más oportunidades.

2. Los indígenas quieren que sus hijos (recordar) _____ la lucha de sus antepasados.

3. Los campesinos indígenas esperan que los patronos les (pagar) _____ mejor. También quieren que sus hijos (poder) _____ asistir a la escuela.

4. Ojalá que (haber) _____ una buena cosecha este año. Así todos van a poder vivir un poco mejor.

5. Los pueblos indígenas desean que sus lenguas (ser) _____ respetadas y quieren que los estudiantes (estudiar) _____ también su historia.

6-6 La lucha. Un miembro de la guerrilla le está explicando a un periodista sus opiniones sobre el problema entre su grupo y el gobierno del país. Escribe las ideas del guerrillero teniendo cuidado con el uso del subjuntivo o del infinitivo.

Modelos: el líder / desear / luchar / indefinidamente   el líder / desea / las mujeres / luchar
El líder desea luchar indefinidamente.   *El líder desea que las mujeres luchen.*

1. el gobierno /esperar / firmar la paz con la guerrilla

   _____

2. el gobierno /querer/ la guerrilla /entregar las armas

   _____

3. yo / desear / hablar / con los líderes de la guerrilla

   _____

4. yo / esperar / pueblos oprimidos / conseguir/ más tierra

   _____

5. el líder de la guerrilla /querer / el ejército / no atacar / a las mujeres y niños

   _____

6-7 Puntos de vista. Es el siglo XV. Estas son las opiniones y los temores de tres hombres de Tenochtitlán antes de la llegada de Cortés. Completa sus opiniones con el subjuntivo de los verbos entre paréntesis.

Un sacerdote azteca:

Preferimos que (haber) (1) _____ muchos sacrificios en los próximos meses

porque tenemos miedo de que unos hombres extranjeros con mucho pelo y ojos claros

(conquistar) (2) _____ nuestra tierra si los dioses no están contentos.

Un soldado azteca:

Me alegro de que nuestros enemigos de los pueblos vecinos (ser) (3) _____

tan débiles, pero temo que en el futuro (llegar) (4) _____ por el mar con

hombres con armas mejores que las nuestras.

Un hombre del pueblo:

Mi familia prefiere que yo (ir) (5) _____ a luchar con los otros guerreros.

A todos les molesta que yo no (mostrar) (6) _____ interés por la guerra.

Referencia gramatical 2

6-8 La situación de los oprimidos. Ayer leíste en el periódico un informe de Amnistía Internacional sobre los problemas de los indígenas. Escribe tus reacciones siguiendo el modelo y usando el subjuntivo en la oración dependiente.

Modelo: Muchas tierras están en manos extranjeras. Es una lástima.
Es una lástima que muchas tierras estén en manos extranjeras.

1. Algunos pueblos de Latinoamérica todavía viven como esclavos. Es horrible.

   _____

2. Los huracanes destruyen casi siempre las casas de los más pobres. Es terrible.

   _____

3. Amnistía Internacional denuncia las violaciones de los derechos humanos. Es importante.

   _____

4. Algunas personas apoyan la violencia contra los indígenas. Es sorprendente.

   _____

5. Algunas asociaciones no gubernamentales tratan de ayudar a los indígenas. Es necesario.

   _____

6-9 Una reunión de campesinos. Un grupo de campesinos está reunido en la escuela del pueblo porque no está contento con sus condiciones de trabajo y quiere hacer algo. Escribe sus ideas prestando atención al uso del indicativo o del subjuntivo en la oración dependiente.

1. es verdad / mucha gente / no conocer / nuestros problemas

   _____

2. es importante / nosotros / cultivar / nuestra propia tierra

   _____

3. es imposible /nuestras familias / comer / con tan poco dinero

   _____

4. es evidente / alguien / explotar / a nosotros

   _____

5. no hay duda de / nosotros / tener que / organizarnos

   _____

6. es mejor / el gobierno / devolver / a nosotros / las tierras de nuestros antepasados

   _____

Conexiones

6-10 Una visita a Chiapas. Elena quiere visitar Chiapas para entrevistar a los indígenas y a algunos guerrilleros. Dale algunos consejos para que su viaje sea productivo. Usa los siguientes verbos en tus oraciones.

aprender	dar	decir	hablar	leer	llevar

Modelo: Te aconsejo que lleves libros y medicinas para la gente.

1. Te aconsejo _____.

2. Te propongo _____.

3. Te recomiendo _____

   y también que _____.

4. Te sugiero _____.

6-11 **Los poderosos.** Los campesinos están cansados de oír siempre las mismas órdenes:

¡Dennos sus tierras!

¡Váyanse a vivir a las montañas!

¡Cállense!

¡No hablen su lengua, hablen español!

¡Háganse soldados del ejército del país!

Escribe las órdenes de los poderosos siguiendo el modelo y usando el subjuntivo en la oración dependiente.

Modelo: ¡Trabajen más!

El patrón ordena que trabajemos más.

1. El gobernador exige _____.

2. El gobierno insiste en _____.

3. Los soldados dicen _____.

4. Los maestros del pueblo prefieren _____.

5. El presidente dice _____.

6-12 **El cacique.** Es el siglo XV. Un cacique azteca no está contento con lo que hace la gente de su pueblo. Estas son sus opiniones.

Opiniones del cacique:

Los campesinos guardan todo el maíz para su familia.

Los arquitectos construyen templos muy pequeños.

Los soldados beben demasiado.

Los sacerdotes no hacen muchos sacrificios.

Escribe las órdenes que les da el cacique a cada grupo usando el subjuntivo en la cláusula dependiente.

1. Prohíbo que los campesinos _____.

2. Exijo que los arquitectos _____.

3. No permito que los soldados _____.

4. Ordeno que los sacerdotes _____.

Nombre: _____   Fecha: _____

6-13 Testimonios y opiniones. Martín y Magdalena tienen puntos de vista diferentes sobre la misma realidad. Completa sus opiniones basándote en la información de sus testimonios. Presta atención al uso del indicativo o del subjuntivo.

Martín Larrea, dueño de las tierras del pueblo:

Mis trabajadores no reciben mucho dinero pero viven bien. Sus mujeres trabajan mucho en la casa y ganan buena plata en el mercado. Además, ¿para qué necesitan el dinero? Tienen su pequeña tierra y sus animales y no les falta comida. Mi familia sí que tiene gastos. ¡Imagínese! Mantener tanta tierra, una casa grande y tres hijos perezosos que siempre piden dinero para irse de fiesta a la ciudad.

Opiniones de Martín:

1. Sé que _____.

2. No niego _____.

3. No creo que _____.

4. No es cierto que _____.

5. No pienso que _____.

Magdalena Marcos, una mujer indígena:

A mi esposo no le pagan mucho en el trabajo. Con ese dinero es imposible dar de comer a toda la familia y por eso trabajo en casa muchas horas haciendo suéteres y cultivando un pedacito de tierra para venderlo todo en el mercado. Los niños me ayudan con el trabajo y la casa después de la escuela. La vida es muy dura para nosotros.

Opiniones de Magdalena:

6. Niego que _____.

7. Dudo que _____.

8. Es cierto que _____.

9. Creo que _____.

Capítulo 6 Los derechos humanos ✳ WB91

6-14 ¿Qué le pasa al pequeño? El hijo de Magdalena llegó mal de la escuela. Magdalena trata de pensar qué problema tiene. Completa los pensamientos de Magdalena con el subjuntivo.

Problemas del hijo:

Tardó mucho en andar el camino de la escuela a la casa.

Tenía mucho frío cuando llegó y no tenía ganas de comer ni de beber.

Empezó a llorar después de un rato y no quiso decir ni una palabra.

Se quedó dormido en una silla durante dos horas.

¿Qué puede ser?

1. Quizá _____.

2. Acaso _____.

3. Tal vez _____.

4. Probablemente _____.

III. Cultura

6-15 Domitila Barrios de Chungara. Lee los siguientes datos sobre esta mujer de Bolivia y
después escribe su biografía en oraciones completas usando esta información.

NACIONALIDAD:	boliviana
AÑO DE NACIMIENTO:	1937
LUGAR DE NACIMIENTO:	campamento minero Siglo XX en los Andes
ORIGEN:	indígena
FAMILIA:	cuatro hermanas menores que ella, sin madre desde los 10 años, padre minero
PADRE:	primero, campesino; después, trabajador de la mina Siglo XX y dirigente sindical
PROBLEMAS FAMILIARES:	pobreza, prejuicios sexistas contra las hermanas, muerte de la hermana pequeña
INTERESES:	mejorar las condiciones de vida de los mineros, luchar por los derechos de las mujeres bolivianas, hacer conocer la vida de los indígenas de Latinoamérica
OBRAS TESTIMONIALES:	*"Si me permiten hablar…" Testimonios de Domitila, una mujer de las minas de Bolivia* (1977), *¡Aquí también, Domitila!* (1985)
TRABAJO COMUNITARIO:	fundación del Comité de Amas de Casa del Siglo XX, participación en una tribuna organizada por la ONU en el Año Internacional de la Mujer (1975)

Me llamo… _____

_____

_____.

Quiero que los mineros… _____

_____

_____; también quiero que la gente _____

_____.

En 1975… _____.

En 1985… _____.

6-16 Bolivia. Después de leer uno de los libros de Domitila, fuiste a la biblioteca a buscar información sobre su país de origen. En la página de una enciclopedia encontraste los siguientes datos sobre Bolivia. Responde a las preguntas basándote en ellos.

Bolivia y Paraguay son los únicos países de Sudamérica que no tienen costa. Bolivia limita al oeste con Perú y Chile, al sur con Argentina y Paraguay y al norte y al este con Brasil. Al oeste del país se encuentra la cordillera andina y en ella está situada su capital, La Paz, que es la más elevada del mundo, y el lago Titicaca, el lago navegable más alto del planeta.

Entre los años 1000 y 1300, junto al lago Titicaca floreció el Imperio Tiahuanaco, que se convirtió en una civilización muy importante antes del desarrollo de la civilización inca. Las ruinas de Tiahuanaco demuestran el gran desarrollo técnico que llegó a alcanzar esta civilización. Hoy en día los aymaras, descendientes de la cultura de Tiahuanaco que siguen viviendo junto al lago Titicaca, han mantenido su lengua y su cultura y constituyen el grupo indígena más numeroso de Bolivia.

Cuando los españoles entraron en el territorio que hoy corresponde a Bolivia explotaron especialmente sus ricas minas de plata y, alrededor de ellas, fundaron grandes ciudades, como la propia capital y la ciudad de Potosí. En las minas, los españoles impusieron un sistema de trabajo forzado conocido como la mita. Los mineros eran indígenas de entre dieciocho y cincuenta años que tenían que trabajar en condiciones inhumanas durante un año. Después de este tiempo eran reemplazados por otros indígenas, pero podían ser nuevamente obligados a trabajar después de varios años.

1. ¿Qué tienen en común Paraguay y Bolivia?

_____

2. ¿Dónde está situada La Paz?

_____

3. ¿Qué cultura preincaica floreció junto al lago Titicaca?

_____

4. ¿Quiénes son los aymaras?

_____

5. ¿Qué era la mita?

_____

IV. Ampliación

6-17 Reflexiones. Francisca aprendió mucho sobre la historia de México en su visita al Palacio Nacional. Por la noche escribió en su diario unas reflexiones. Completa el diario de Francisca poniendo cuidado en el uso del indicativo o del subjuntivo.

1. Espero que ahora los indígenas _____.

2. Quizás ahora el gobierno _____.

3. Es cierto que México _____.

4. Posiblemente _____.

5. Es una lástima que todavía _____.

6. Creo que _____.

6-18 Los africanos. Javier está estudiando historia latinoamericana. En una página del libro hay el siguiente párrafo:

"…La importación de esclavos del continente africano comenzó poco después de la colonización de las tierras conquistadas y duró más de tres siglos. La presencia del africano fue más numerosa en aquellos lugares donde los españoles necesitaban obreros, pero no había suficientes indígenas para realizar los trabajos. Especialmente intensa fue la presencia de esclavos africanos en las islas del Caribe. Estos esclavos trabajaban en las minas y en las plantaciones de cultivos tropicales. Aunque perdieron muchas de sus tradiciones africanas, todavía hoy puede verse su influencia en algunas prácticas y creencias religiosas, la música, el baile y la literatura. Por ejemplo, en los poemas del poeta cubano Nicolás Guillén hay referencia constante a su herencia africana y a la cultura y los sufrimientos de los esclavos en el continente americano."

Ahora Javier te está contando con otras palabras lo que aprendió sobre la esclavitud africana. Completa su información.

1. La importación de esclavos duró _____ años.

2. Hubo muchos esclavos africanos en países como Cuba porque _____ pero no había _____.

3. Desgraciadamente los esclavos no conservaron _____ _____.

4. Es posible encontrar restos de sus tradiciones en _____ y creencias religiosas, _____ y la literatura.

6-19 **Una buena organización.** Busca información sobre alguna organización local, nacional o internacional que realice un trabajo humanitario importante (derechos humanos, atención médica, educación, construcción de casas para gente necesitada, etc.). Completa los siguientes datos sobre la organización y sobre su trabajo y da tu opinión sobre ella.

1. Creo que la organización _____.

   hace un trabajo humanitario muy importante porque _____

   _____.

2. Las personas que reciben los beneficios de esta organización _____

   _____.

3. Dudo que esta organización _____

   _____.

4. Pienso que _____

   _____.

Repaso 2

R2-1 Situaciones diferentes. Raquel y Cristina son dos hermanas. La semana pasada fue muy diferente para cada una de ellas. Completa la información que te dieron ellas con una de las palabras entre paréntesis. Haz los cambios necesarios.

El problema de Raquel

La semana pasada no pude ir al trabajo porque me enfermé. Cuando me (1) _____ (tomar la temperatura, sonar la nariz, hacer régimen) descubrí que tenía fiebre. Me dolía todo, especialmente (2) _____ (la pantorrilla, la garganta, la rodilla), y por eso no podía hablar. Mi esposo me llevó al médico y él me dijo que tenía (3) _____ (el desmayo, el insomnio, la gripe), así que me (4) _____ (rechazar, recetar, asegurar) unos antibióticos y me dijo que debía beber jugo de naranja.

El trabajo de Cristina

La semana pasada fui a (5) _____ (una piedra, una fábrica, una pila) donde hacían envases de plástico y de (6) _____ (cartón, siglo, seña) que eran reciclables. Fue una visita muy interesante y me hizo pensar que nuestra compañía debe comprar los productos de esta compañía para envasar todos nuestros alimentos. (7) _____ (A su vez, De esta manera, Modo de) nuestros clientes no tendrán que tirar a (8) _____ (la basura, la lata, la fuente) los envases, sino que podrán reciclarlos.

R2-2 Un repaso. Un profesor de español ha preparado un repaso de vocabulario para sus alumnos. A ver si tú puedes hacer el ejercicio correctamente uniendo la información de la izquierda con las palabras correspondientes de la derecha. Escribe la letra correspondiente en el espacio en blanco.

¿Qué es?

1. _____ Visitar el cementerio el día de los muertos
2. _____ La de Vietman o la de las Malvinas
3. _____ Una pistola o una bomba
4. _____ Un mapuche o un aymara
5. _____ El fémur

a. una guerra
b. un indígena
c. una costumbre de muchos hispanos
d. un hueso
e. un arma

¿Qué significa?

6. _____ Cocinar algo en el horno   f. explotar

7. _____ Perder peso   g. adelgazar

8. _____ Quitarle a alguien la libertad   h. asar

9. _____ No pagarle a un trabajador el salario justo   i. talar

10. _____ Plantar, cuidar y cosechar la tierra   j. desmayarse

11. _____ Perder la consciencia   k. cultivar

12. _____ Cortar un árbol   l. esclavizar

R2-3 **La carta de Roberto.** Roberto le escribió una carta a Estrella desde Madrid. Completa su carta con las preposiciones **para** o **por** según corresponda.

Querida Estrella:

La semana pasada estuve en el centro y me acordé de ti porque al pasar (1) _____ una librería vi un libro perfecto (2) _____ tu proyecto de investigación. Se titula "La ciudad perdida de los Mayas". Probablemente ya lo conoces pero llámame (3) _____ si acaso lo quieres. Espero que todo te vaya bien. Yo, (4) _____ variar, estoy enfermo. Ya sabes que la contaminación es terrible (5) _____ personas como yo y esta ciudad no es la mejor. El mes que viene me voy (6) _____ un pueblo pequeño y creo que allí voy a sentirme mejor. Además, encontré una casa (7) _____ ochenta mil pesetas al mes muy cerca del colegio.

¿Cómo estás tú? Me gustaría ir a verte en agosto pero necesito saber si vas a tener un poco de tiempo (8) _____ estar conmigo y acompañarme a algunos lugares de Puerto Rico que quiero visitar. (9) _____ cierto, ¿podría quedarme en tu casa? Escríbeme y dime cuáles son tus planes (10) _____ el mes de agosto. Un abrazo,

Roberto

R2-4 Consejos para adelgazar. A Roberto le encanta comer bien y últimamente ha engordado un poco. Su médico le dio algunos consejos fáciles para adelgazar un poco. Escribe los consejos que le da el médico a Roberto usando los mandatos formales (**usted**).

Cosas que debe hacer:

1. evitar las grasas _____

2. hacer un régimen _____

3. ir a un gimnasio _____

Cosas que no debe hacer:

4. poner mayonesa en todo _____

5. comer entre horas _____

6. salir a comer fuera todos los días _____

R2-5 El viaje de Estrella. Estrella es una estudiante de arqueología de la universidad de Río Piedras en Puerto Rico. Va a pasar un año trabajando en unas ruinas mayas de Guatemala con un profesor y un grupo de estudiantes de la universidad. Escribe los consejos de su amiga y de su madre usando los mandatos informales (tú) en vez de los infinitivos.

Su amiga le aconseja:

1. hacer una lista de todo lo que necesita llevar _____

2. dejar dinero en el banco para pagar las cuentas _____

3. decirle a su hermano que se ocupe de las cuentas _____

4. pedir una mochila a uno de sus amigos _____

5. disfrutar de esta gran experiencia _____

Su madre le aconseja:

6. no ir nunca sola a lugares aislados _____

7. no salir por la noche hasta muy tarde _____

8. no perder el tiempo _____

9. no descuidar su salud _____

10. no olvidarse de escribir _____

R2-6 Vienen tiempos mejores. En el pueblo donde Estrella va a vivir hubo algunos cambios muy positivos. Ahora su profesor y ella están hablando sobre esos cambios. Completa la conversación usando los pronombres necesarios en las respuestas del profesor.

1. ESTRELLA: ¿Quién organizó el plan de ayuda?

   PROFESOR: _____ el gobierno y una comisión especial.

2. ESTRELLA: ¿A quiénes les devolvieron ya sus tierras?

   PROFESOR: _____ a los campesinos más pobres.

3. ESTRELLA: ¿Les enseñaron también técnicas de cultivo?

   PROFESOR: Sí, _____.

4. ESTRELLA: ¿Cuándo abrieron la clínica del pueblo?

   PROFESOR: _____ en el mes de abril.

5. ESTRELLA: ¿Quién va a dirigir la escuela?

   PROFESOR: _____ un profesor nuevo muy bueno.

R2-7 **Cena familiar.** El padre de Estrella va a preparar la cena y está hablando con su esposa sobre sus planes para que todos estén contentos. El problema es que en su diálogo hay muchas redundancias. Escribe otra vez el diálogo entre los padres usando los pronombres de objeto directo e indirecto donde sean necesarios para evitar estas redundancias.

   PADRE: Irene, voy a preparar pescado para la cena, ¿de acuerdo?

   MADRE: Claro. Pero ¿cómo vas a hacer el pescado?

   PADRE: Voy a hacer el pescado con patatas fritas para los niños.

   MADRE: ¿Vas a freír el pescado para los niños?

   PADRE: Sí, porque esa es la única manera en que comen el pescado, ¿no?

   MADRE: Sí, claro. ¿Y para nosotros?

   PADRE: Podemos preparar para nosotros el pescado en el horno con vino blanco y hierbas.

   MADRE: Estupendo. Así todos vamos a cenar muy bien.

1. MADRE: _____

2. PADRE: _____

3. MADRE: _____

4. PADRE: _____

   MADRE: Sí, claro. ¿Y para nosotros?

5. PADRE: _____

   MADRE: Estupendo. Así todos vamos a cenar muy bien.

R2-8 La clínica SOLYMAR. El hermano y la cuñada de Estrella encontraron trabajo en una clínica donde la gente sigue tratamientos para adelgazar. Responde a sus preguntas usando los mandatos en la forma **ustedes** y los pronombres correspondientes.

1. HERMANO Y CUÑADA: ¿Podemos beber alcohol?

   SUPERVISOR: No, _____.

2. HERMANO Y CUÑADA: ¿Debemos ver a los pacientes todos los días?

   SUPERVISOR: Sí, _____.

3. HERMANO Y CUÑADA: ¿Tenemos que comer la comida de la clínica?

   SUPERVISOR: Sí, _____.

4. HERMANO Y CUÑADA: ¿Podemos darles algunos dulces a los pacientes?

   SUPERVISOR: No, _____.

5. HERMANO Y CUÑADA: ¿Dónde podemos hacer ejercicio?

   SUPERVISOR: _____ en el gimnasio de la clínica.
   Está abierto para los pacientes y los trabajadores.

R2-9 La carta de Estrella. Estrella acaba de llegar a Guatemala, donde va a pasar un año participando en una excavación de unas ruinas mayas. Completa la carta que le escribió a su madre con el indicativo, el subjuntivo o el infinitivo de los verbos en paréntesis.

> Querida mamá:
>
> Espero que todos en casa (estar) (1) _____ bien. Mi viaje a Guatemala fue bueno y ahora estoy viviendo con una familia muy cariñosa. Creo que la gente de esta ciudad (ser) (2) _____ muy amable y ha recibido a todo nuestro grupo con los brazos abiertos. En las próximas semanas queremos (empezar) (3) _____ las excavaciones y el jefe de la expedición quiere que algunos jóvenes del pueblo (venir) (4) _____ siempre con nosotros para ayudarnos en el trabajo. El dice que no (ir) (5) _____ a ser difícil contratar a varias personas. El alcalde está muy interesado en nuestro proyecto y nos aconseja que (comenzar) (6) _____ pronto porque dentro de cuatro meses empieza la época de las lluvias y entonces sí que va a ser difícil trabajar en el campo. Es posible que para entonces (tener - nosotros) (7) _____ material suficiente para poder empezar a estudiarlo en una de las habitaciones del ayuntamiento que él nos ha cedido. Verdaderamente me sorprende que (haber) (8) _____ gente tan generosa y tan receptiva en el mundo. Estoy segura de que esta experiencia (ir) (9) _____ a ser inolvidable. Mamá, saluda a todos de mi parte y diles que me (escribir) (10) _____.
>
> Un beso,
> Estrella

R2-10 El diario de Estrella. Durante su estancia en Guatemala, Estrella escribe todas las noches algo en su diario. Escribe los pensamientos que anotó anoche prestando atención al uso del indicativo, el subjuntivo o el infinitivo.

1. yo /esperar / nosotros / encontrar / algo especial

   _____

2. nuestro profesor / sugerir / el grupo / hacer / un diario de actividades

   _____

3. nosotros / necesitar / alguien / dibujar / algunas de las figuras

   _____

4. el profesor / dudar / la universidad / darnos / más dinero

   _____

5. yo / creer / los indígenas / estar / ayudándonos mucho

   _____

6. nosotros / querer / aprender / la lengua de los indígenas

   _____

7. quizás / un maestro del pueblo / enseñarnos / a hablar la lengua de los indígenas

   _____

7 Capítulo siete
El mundo del trabajo

I. Vocabulario

7-1 Definiciones desordenadas. Estás buscando trabajo y tu futuro jefe quiere saber si puedes explicar estas palabras relacionadas con el mundo del trabajo. Une las palabras de la izquierda con las definiciones de la derecha. Escribe la letra en los espacios en blanco.

1. _____ Mercadeo

2. _____ Publicidad

3. _____ Bienes raíces

4. _____ Ventaja

5. _____ Informática

6. _____ Destreza

7. _____ Jubilación

8. _____ Corredor/a de bolsa

a. Estudios relacionados con las computadoras y la programación de computadoras.

b. Habilidad para hacer algo.

c. Persona que trabaja vendiendo y comprando acciones en, por ejemplo, Wall Street.

d. Dinero que recibe una persona cuando deja de trabajar a los 60 ó 65 años generalmente.

e. Estudios relacionados con las compras y las ventas.

f. Aspecto positivo de un trabajo.

g. Las casas o edificios lo son. Quien trabaja en eso generalmente los vende.

h. Dibujos, fotografías y textos muy atractivos que se usan para vender productos.

7-2 La jefa de personal. La semana pasada entrevistaste a varios candidatos para un puesto de trabajo y hoy debes presentar un informe sobre los candidatos a los ejecutivos de la compañía. Completa el informe con el vocabulario en paréntesis y haz los cambios necesarios.

Departamento de personal

---

15 de noviembre

Después de entrevistar a los cuatro (1) _____ (aspirantes, encargados, vendedores), creo que Esperanza Gutiérrez es la persona ideal para nuestra compañía. La Sra. Gutiérrez tiene más experiencia en el área de la (2) _____ (superación, administración, decisión) que los otros tres candidatos. Además, (3) _____ (tomar, atender, dominar) otros idiomas, como el portugués y el inglés y podría servirnos mucho en el departamento de (4) _____ (exportación, presupuesto, confianza) a Brasil y los Estados Unidos. Por último, ninguno de los otros candidatos tiene (5) _____ (solicitud de empleo, facilidad de palabra, experiencia laboral) porque se licenciaron el verano pasado en la universidad, pero Esperanza Gutiérrez ya trabajó en bienes raíces y en una empresa de publicidad.

María José Varela
Jefa de personal

cc: MFA, MRO, JED

7-3 La futura entrevista. Ayer Rafael recibió una llamada telefónica para una entrevista de trabajo. Completa la conversación telefónica entre Rafael y el jefe de personal usando los verbos **ir, llegar** o **venir.**

RAFAEL: ¿Dígame?

JEFE DE PERSONAL: ¿Don Rafael Alférez?

RAFAEL: Sí, soy yo.

JEFE DE PERSONAL: Le llamo de HOMESA para ver si puede (1) _____ el próximo viernes a las 11 de la mañana para una entrevista.

RAFAEL: El viernes es perfecto. ¿Podría usted decirme cómo (2) _____ allí?

JEFE DE PERSONAL: Puede tomar el metro hasta Rubén Darío. Allí debe tomar la calle Miguel Ángel. Estamos en el número 27.

RAFAEL: Muy bien. Estaré allí el viernes a las 11.

JEFE DE PERSONAL: Otra cosa. Después de la entrevista conmigo usted debe (3) _____ al centro de salud de la empresa para un examen médico. Le aconsejo que llame para hacer una cita con uno de los médicos.

7-4 Ideas cortadas. Conseguiste un trabajo como secretario del departamento de español de la universidad y la otra secretaria del departamento te escribió una nota con frases desordenadas para felicitarte y recordarte lo que tienes que hacer. Une la primera parte de las oraciones con su continuación lógica de la derecha. Escribe la letra correspondiente en los espacios en blanco.

Querido Manolo:

1. Ya sé que conseguiste el trabajo, _____

2. Para imprimir _____

3. Por la tarde, antes de irte a casa _____

4. Para pasar una llamada de teléfono al profesor Suárez _____

5. Para algunos trabajos _____

6. Después de terminar los documentos sobre las jubilaciones _____

a. apaga la luz de la oficina.

b. es mejor usar la máquina de escribir.

c. tienes que encender la impresora.

d. guárdalos en el fichero Jubil-Esp de la computadora.

e. ¡me alegro mucho por ti! ¡Te lo mereces!

f. debes presionar el botón del teléfono con el número 8.

II. Gramática

Referencia gramatical 1

7-5 Ofertas de trabajo. En el periódico del domingo pasado aparecieron unas ofertas de trabajo muy interesantes. Escríbelas otra vez usando el **se** pasivo en lugar de los verbos conjugados.

1.

> BUSCAMOS vendedores
> para la zona norte.
> Proveemos coche.
> Ofrecemos buenos
> sueldos y seguro médico.
> Teléfono 5 55 99 99
> HISPATUR.

2.

> NECESITAMOS persona
> para atender el teléfono.
> Pedimos conocimientos
> de inglés y de francés.
> Preferimos candidatos
> con experiencia laboral.
> Teléfono 8 88 44 22
> HOTEL LUZ.

Anuncio 1:

Se buscan _____

_____

Anuncio 2:

Se necesita _____

_____

Referencia gramatical 2

7-6 Ventajas y desventajas. Hace dos años que Elena trabaja como traductora para una agencia y hace su trabajo en casa. Completa sus impresiones sobre su trabajo con las siguientes frases:

| lo difícil | lo que | lo más aburrido | lo mejor |

1. _____ de mi trabajo es que tengo un horario muy flexible.

2. _____ de trabajar en casa es que no puedes hablar con nadie.

3. _____ hago mientras traduzco es escuchar música clásica.

4. _____ de muchas traducciones técnicas es encontrar la palabra precisa.

5. Cuando tengo alguna duda, _____ hago es llamar a mi jefa. Siempre ayuda mucho. Ella dice que antes de entregar una traducción, _____ es asegurarse de que todo está bien traducido, consultando con ella o con otros traductores.

Conexiones

7-7 Buena y mala suerte. María y Leopoldo tienen trabajos muy diferentes. A María le gusta su trabajo, pero Leopoldo no está contento con el suyo. Escribe las ideas de Leopoldo basándote en las de María. Puedes escribirlas de dos maneras. Usa las palabras negativas.

Modelo: **María**

Tengo secretario y chófer.

Leopoldo

No tengo ni secretario **ni** chófer.

Ni tengo secretario **ni** chófer.

María

1. En mi trabajo todo funciona bien.

2. Siempre recibimos aumentos de sueldo.

3. …también recibimos dinero extra si trabajamos más horas.

4. Algunos trabajadores van a la universidad gratis porque la empresa paga por los cursos.

Leopoldo

1. _____
   _____

2. _____
   _____

3. _____
   _____

4. _____
   _____

7-8 Un hombre muy ocupado. Eduardo le escribió una carta a su novia describiendo el ambiente de trabajo de su nueva empresa. Completa la carta con las palabras que hay a continuación. Haz los cambios necesarios.

alguien	alguno	nadie	ni	ningún	también

Querida Marta:

    Estoy contento en mi trabajo, pero (1) _____ veces me siento un poco frustrado porque aquí (2) _____ sabe idiomas y yo tengo que hacer todas las traducciones del inglés. (3) _____ de mis compañeros de trabajo lo ha estudiado y mi jefe dice que el mes próximo va a buscar a (4) _____ competente para enseñar una clase de inglés a los empleados que estén interesados.

    Como ya sabes, estoy encargado de la publicidad y (5) _____ de las ventas, así que no tengo mucho tiempo libre. Pero este trabajo es un reto y voy a trabajar mucho para poder ascender. Entonces, querida Marta, eso quiere decir que no voy a poder ir a verte (6) _____ este mes (7) _____ el próximo. Espero que no te importe, y te prometo que, después de estos dos primeros meses, no estarás sin mí (8) _____ fin de semana.

Un beso,
Eduardo

7-9 La incógnita. Juan está nervioso porque tuvo una entrevista de trabajo y está esperando la respuesta de la empresa que lo entrevistó. Responde a las preguntas que le hace Juan a su madre usando las palabras negativas correspondientes.

    Modelo: JUAN: Si me contratan, ¿me puedo poner siempre pantalones vaqueros para ir a trabajar?

                MADRE: No, no te puedes poner pantalones vaqueros nunca para ir a trabajar.

1.   JUAN: ¿Me llamó alguien hoy?

    MADRE: No, no _____ .

2.   JUAN: ¿Dejaron algún mensaje en el contestador?

    MADRE: No, no _____ mensaje.

3.   JUAN: ¿Llegó ya mi título de licenciado y la carta de mi profesor?

    MADRE: No, no _____ el título _____ la carta de tu profesor.

4.   JUAN: ¿Pero recibí algo en el correo?

    MADRE: No, no _____ . ¡Tranquilízate, todo va a salir bien!

7-10 Una empresa familiar. HOMESA es una empresa pequeña de productos congelados. Aquí tienes información importante sobre sus empleados. Léela y escribe después un informe usando las palabras indefinidas y negativas.

HOMESA

Número total de empleados	20
Ejecutivos	5
Licenciados en administración	10
Licenciados en informática	5
Hablan inglés	10
Hablan italiano	0
Seguro médico	20
Participantes en el plan de jubilación	20
Aumentos de sueldo	Todos los años

---

1. _____ de los empleados no hablan inglés.

2. _____ de los empleados habla italiano. Necesitan a _____ para poder hablar con los clientes de Italia en italiano. No necesitan a _____ más para entender las cartas en inglés.

3. _____ está sin seguro médico.

4. Los empleados reciben _____ aumentos de sueldo al comienzo del año.

5. _____ empleados son licenciados _____ en informática _____ en administración.

6. Todos los empleados tienen seguro médico y _____ participan en el plan de jubilación.

7-11 Problemas. Ana Belén y Víctor quieren abrir un restaurante argentino en Barcelona y están pensando en todos los aspectos del negocio antes de pedir un préstamo al banco. Une con una línea la información de la izquierda con la de la derecha para saber qué piensan.

1. Necesitamos algunos camareros que…

2. Para el restaurante nos gusta mucho ese edificio que…

3. En esta parte de la ciudad no hay ningún restaurante que…

4. Debemos buscar a alguien que…

5. La tía Carmen sale con un hombre que…

6. Ya conocemos a un cocinero argentino que…

a ….tiene experiencia con este tipo de negocios. Debemos hablar con él.

b ….dominen otros idiomas para hablar con los turistas.

c. …prepara una carne deliciosa.

d ….se parece a la Casa Milá de Gaudí.

e ….tenga buena fama.

f ….se encargue de hacer la publicidad.

7-12 Lo que tengo y lo que quiero. Verónica está buscando trabajo porque el lugar donde trabaja ahora no es muy conveniente para ella. Escribe oraciones sobre su trabajo actual y sobre el trabajo que busca siguiendo el modelo.

Modelo: desde las 5 de la mañana   desde las 8 de la mañana

Tengo un trabajo que empieza a las 5 de la mañana. Busco un trabajo que empiece a las 8 de la mañana.

Trabajo actual

1. de 5 de la mañana a 1 de la tarde

2. lejos de casa

3. beneficios no incluidos

4. aburrido

Trabajo que busca

1. de 8 de la mañana a 4 de la tarde

2. cerca de casa

3. con beneficios incluidos

4. estimulante

1. _____

_____

2. _____

_____

3. _____

_____

4. _____

_____

7-13 Asuntos internos. Pedro y Pablo están tomándose un café en el bar de la empresa y hablando de algunos cambios que ha habido recientemente y de otros que posiblemente ocurran en el futuro. Completa el diálogo con la forma correspondiente del indicativo o del subjuntivo de los verbos en paréntesis.

PEDRO: ¿Conoces al nuevo empleado que (1) _____ (trabajar) en la empresa?

PABLO: No, no lo conozco todavía, pero me dijeron que es muy simpático.

PEDRO: Sí, es muy simpático y además, vive en una calle que (2) _____ (estar) muy cerca de mi casa, así que me lleva y me trae siempre en coche.

PABLO: ¿Y qué hace aquí exactamente?

PEDRO: Se ocupa de la nueva campaña publicitaria que (3) _____ (ir) a hacer la empresa en Puerto Rico.

PABLO: La verdad es que necesitábamos a gente nueva en el departamento de publicidad. Por cierto, ¿sabes si todavía están buscando a alguien que (4) _____ (saber) programación? Conozco a un chico que (5) _____ (acabar) de licenciarse en informática y estaría muy interesado en el puesto.

PEDRO: No sé nada, la verdad. Lo que sí sé es que todavía no han encontrado a ningún empleado que (6) _____ (querer) trasladarse a la oficina de Berlín.

PABLO: No me extraña. Aquí no hay nadie que (7) _____ (hablar) alemán.

7-14 Bolsa de trabajo. Ayer viste este anuncio en el periódico. Vuelve a escribirlo con cláusulas adjetivas con el indicativo o el subjuntivo de los siguientes verbos.

estar	tener	trabajar	ser

SE BUSCA persona para el departamento de exportación, con buena presencia, imaginativa y responsable. Hacemos negocios con compañías nacionales y extranjeras.

SE BUSCA persona que _____,
que _____ y que
_____. Hacemos negocios con
compañías que _____ y en el
extranjero.

III. Cultura

7-15 Una gran profesional. En una revista en español apareció la siguiente biografía de Cristina Saralegui, la presentadora del programa de Univisión "El Show de Cristina". Léela y responde a las preguntas que se dan a continuación.

Cristina Saralegui

Cristina Saralegui se la considera como un símbolo de la mujer hispana actual. Es una periodista determinada, inteligente y comprometida a influir en la vida de los hispanos.

Cristina nació el 29 de enero de 1948 en La Habana, Cuba. Su abuelo paterno, a su vez editor de una revista, fue quien introdujo a Cristina en el mundo del periodismo. La familia se trasladó a Miami en 1960, donde Cristina se licenció en Periodismo y Creación Literaria en la Universidad de Miami. En 1979 fue nombrada jefa de redacción de la revista "Cosmopolitan en español" y diez años más tarde dejó este puesto para hacerse cargo de la producción y presentación del programa de Univisión "El Show de Cristina", en el que sigue todavía.

Además de hacer televisión y radio en español, Cristina ha realizado varios programas en inglés, incluida la versión inglesa de "El Show de Cristina". Según ella, siempre se ha considerado a la vez periodista y motivadora, y su programa de televisión le da la oportunidad de profundizar en muchos temas y de tratar de mejorar la vida de los hispanos y convertirlos en miembros productivos de su comunidad.

Cristina ha sido galardonada por distintas organizaciones. Entre los muchos galardones recibidos por ella están los de La Fundación Americana para la investigación del SIDA (AmFAR), que la galardonó en 1995 por su trabajo desempeñado en la educación sobre el SIDA (*AIDS*) en el mundo hispano, y dos años más tarde la volvió a distinguir por su activismo en la lucha contra esta enfermedad. En 1996 fue galardonada por la Organización Nacional de Mujeres en los Medios de Comunicación con el premio anual a la excelencia y se creó una beca que lleva su nombre. El Consejo de Asuntos de la Mujer (Council of Women's Issues) la reconoció también de manera unánime como un modelo de conducta para los americanos. Su biografía ha sido publicada simultáneamente en inglés y español por la editorial Warner Books.

1. ¿Qué cualidades de Cristina se destacan en esta biografía?

   _____

2. ¿Qué formación universitaria tiene Cristina?

   _____

3. ¿Qué puesto de trabajo desempeñó antes de 1989?

   _____

4. De acuerdo con la Fundación Americana para la investigación del SIDA (AmFAR), ¿qué trabajo importante ha hecho Cristina en relación con esta enfermedad?

   _____

5. ¿Qué otras distinciones ha recibido Cristina?

   _____

6. ¿Conoces a otra persona famosa que sea como Cristina? Di quién es, explica sus cualidades, describe su trabajo y di por qué es similar a Cristina.

   _____

7-16 La Habana. La capital cubana es la ciudad donde nació Cristina Saralegui. Imagínate que ella está hablando contigo y te está dando algunos datos sobre su ciudad natal y sobre el país. Usa el Internet y otras fuentes de información para completar esta pregunta.

1. La Habana está situada en el _____ de la isla.

2. En 1982 la Habana Vieja fue nombrada Patrimonio de la Humanidad por la
_____.

3. El poeta y revolucionario _____ nació en la Habana Vieja.

4. Otras dos ciudades importantes del país son S _____ de
   C _____ y C _____.

5. La moneda oficial de Cuba es _____.

6. Los principales productos agrícolas del país son _____.

7. El sistema de montañas más importante de la isla es _____.

8. Cuba obtuvo su independencia en el año _____.

9. Fidel Castro ha sido presidente de Cuba desde el año _____.

10. En Cuba, la asistencia médica y la educación son _____ para todos
    los cubanos.

7-17 Opiniones de las mujeres. Alicia, Olga y Victoria encontraron trabajo el año pasado. Lee las opiniones de cada una sobre su trabajo y después responde a las preguntas.

Alicia

Tengo un sueldo fabuloso, pero estoy un poco decepcionada porque creo que cumplo bien con mi trabajo de programadora, pero parece que a nadie le importa. Mi jefe jamás me dice que he hecho las cosas bien, simplemente me exige que haga algo y lo tenga listo para una fecha determinada, y eso es todo. No tengo nunca tiempo libre y el ambiente no es bueno; me paso días enteros encerrada en mi oficina sin ver a nadie.

Olga

Me encantan mis alumnos y mis compañeros de trabajo. En la enseñanza hay que trabajar duro y no se gana mucho, pero hay muchas vacaciones. Lo malo de este trabajo es que es temporal y al año que viene voy a tener que buscar otro colegio. Espero encontrar pronto un puesto que sea más estable. No se puede vivir cambiando constantemente.

Victoria

Tuve mucha suerte al encontrar este trabajo porque en la empresa me permiten realizar mis propios proyectos con toda libertad. Lo importante para ellos son las ideas originales, y para una arquitecta como yo, eso no es difícil. Lo peor del trabajo es el sueldo; la empresa es nueva y todavía no pueden pagar mucho; sin embargo, a mí me interesa más la experiencia que el dinero.

1. ¿Cuál de los trabajos es perfecto para una persona que quiera tener mucho tiempo de ocio durante el año?

_____

2. ¿Cuál de los trabajos es malo para una persona que no quiera cambiar de ambiente?

_____

3. ¿Cuál de los trabajos es malo para una persona a quien le guste el contacto con otras personas?

_____

4. ¿Cuál de los trabajos es perfecto para una persona que tenga mucha imaginación?

_____

5. ¿Cuál de los trabajos es bueno para una persona que quiera solamente ganar dinero?

_____

IV. Ampliación

7-18 Mujeres en el trabajo. A continuación hay unos datos sobre el número de mujeres trabajadoras en España que aparecieron en un artículo del periódico *El Mundo*. Lee el artículo y responde a las preguntas que se dan a continuación.

La mujer acelera su incorporación al mercado laboral, por María Canales

La evolución de la mujer que accede a un puesto de trabajo ha sido progresiva y ha tenido un comportamiento dinámico en los últimos 20 años, mientras que se ha producido una contención en la colocación masculina.

En el primer trimestre de 1999, la creación de empleo entre las mujeres ha crecido un 6%, respecto al mismo período de 1998, mientras que la ocupación masculina ha aumentado a un ritmo inferior, un 2,8%, según señaló esta semana Francisco Laso, director de recursos humanos y relaciones laborales de la compañía de trabajo temporal Manpower.

En los últimos 20 años, 2,6 millones de mujeres activas se han incorporado al mercado laboral español. De éstas, el grupo que más ha crecido ha sido el compuesto por mujeres con edades comprendidas entre los 25 y los 44 años.

El incremento de la actividad femenina en el mercado laboral se debe a la fuerte incorporación de la mujer a los estudios superiores en los últimos 20 años (las mujeres con estudios universitarios suponían el 2,1% en 1977, mientras que en 1988 lo componía el 10,1%) y a la influencia procedente de Estados Unidos y de la Europa Comunitaria.

Actualmente, en el mercado de trabajo temporal, por ejemplo, sector en el que se encuadra la compañía Manpower, el 70% de los empleados son mujeres, frente al 30% comprendido por hombres, comentó Laso.

El sector donde ha habido más incorporaciones femeninas desde 1977 a 1998 ha sido el de servicios, con 1,8 millones de empleadas, especialmente en la administración pública, la enseñanza y la sanidad, según el estudio.

Por su parte, los sectores agrícolas e industriales han perdido 600.000 mujeres ocupadas desde 1977.

El mayor número de mujeres asalariadas se concentra en el sector público, con un millón, cifra que triplica los porcentajes de 1977, aunque por contra, se ha producido una disminución en el sector privado que sigue teniendo un peso importante con el 72,2% del total.

El Índice Manpower de convergencia laboral se ha situado en los primeros tres meses de 1999 en un 42,4%, un 3,8% más respecto al mismo período del año anterior, cada vez más cerca del 43,7% que alcanzaron los cuatro países europeos más potentes económicamente (Francia, Italia, Gran Bretaña y Alemania) a finales de 1997 (último dato obtenido). ■

Según dicho estudio, España es, entre los grandes países de la unión Europea, el que ha aumentado más la tasa de actividad femenina, alcanzando el 47,7% de la población activa, cada vez más cercana al 56% de la media europea.

1. ¿Qué ocurrió con el empleo femenino en los tres primeros meses de 1999?

   _____

2. ¿Qué ocurrió con el empleo masculino entre enero y marzo de 1999?

   _____

3. ¿Quién encontró trabajo con más facilidad, una mujer de 18 años o una mujer de 30?

   _____

4. ¿Cuáles son las causas del aumento de mujeres trabajadoras, de acuerdo con el artículo?

   _____

5. ¿En qué sectores hubo un aumento mayor de mujeres trabajadoras? ¿En qué sectores hubo una disminución?

   _____

6. En España, ¿qué porcentaje de trabajadores son mujeres? ¿y en Europa?

   _____

7-19 El trabajo ideal. Todavía no tienes trabajo, pero el próximo año vas a empezar a buscarlo. Haz una lista de las cualidades de tu trabajo ideal:

Espero encontrar un trabajo que _____ ,

que _____

y que _____ .

Lo importante es _____ .

No quiero un trabajo que _____ ni que

_____ .

No me interesa ni _____ ni _____ .

Nunca voy a aceptar un trabajo que _____ .

Nombre: _____   **Fecha:** _____

8 Capítulo ocho
El arte

I. Vocabulario

8-1 Grupos de palabras. Completa las palabras que corresponden a cada grupo.

Instrumentos de los pintores:

    1. p__ n __ __ __ __

    2. p __ __ __ t __

Técnicas de pintura:

    3. a __ __ a __ __ __ a

    4. ó __ __ o

    5. p __ s __ __ __

    6. t __ __ p __ __ __

Algunos tipos de pinturas:

    7. r __ __ __ __ tos

    8. a __ t __ __ __ __ __ r __ __ os

    9. n __ __ u __ __ __ __ zas   m __ __ r __ as

Algunas corrientes artísticas:

    10. s __ __ r __ __ __ ismo

    11. c __ __ ismo

    12. a __ __ e a __ __ t __ __ __ __ __ __

8-2 El Guernica. Juan Pablo fue a Madrid y leyó en una guía de museos la siguiente información sobre el *Guernica*, una de las creaciones más importantes de Picasso. Lee la información y complétala con las palabras necesarias.

El Guernica es una (1) _____ (obra, fuente) maestra del

(2) _____ (espejo, pintor) español Pablo Ruiz Picasso. Picasso pintó este

gran (3) _____ (dibujo, mural) para el pabellón español de la

(4) _____ (Exposición, Taller) Universal de París de 1937. En esta

obra Picasso (5) _____ (convierte, refleja) de un modo muy dramático

los horrores de la guerra en general, aunque el hecho concreto que le sirvió como

(6) _____ (creación, inspiración) fue el bombardeo del pueblo

vasco de Guernica, por la aviación alemana durante la Guerra Civil española. Antes de

(7) _____ (apreciar, crear) toda la composición, Picasso realizó muchos

bocetos (*sketches*) de las distintas (8) _____ (fondos, figuras) que la

forman. En la actualidad, tanto los bocetos como el *Guernica* mismo se hallan en el Centro

de Arte Reina Sofía.

8-3 La visita al Prado. Después de ir al Centro de Arte Reina Sofía, Juan Pablo visitó en el Museo del Prado las salas de Goya, uno de sus pintores favoritos. Completa las opiniones de Juan Pablo sobre el pintor con los verbos **hacerse, llegar a ser, ponerse** y **volverse.** Haz los cambios necesarios.

1. Cuando miro el cuadro de Goya *El 3 de mayo de 1808* _____ triste porque esa pintura refleja de modo impresionante el terror de la guerra.

2. Goya _____ muy famoso entre la aristocracia y pintó muchos retratos de gente influyente. A mí me gustan, sobre todo, los de la Duquesa de Alba.

3. Creo que Goya _____ pintor oficial del rey cuando tenía 40 años.

4. Después de quedarse sordo, Goya _____ solitario, pesimista y más crítico de la sociedad de su tiempo.

II. Gramática

Referencia gramatical 1

8-4 Un artista con futuro. Ayer abrieron una exhibición en la escuela de arte donde estudia Rosa y ahora ella le está dando a Marimar algunos datos sobre uno de los pintores. Completa su información con el imperfecto de subjuntivo de los verbos en paréntesis.

Sabía que mi amigo Fermín pintaba en sus ratos libres, pero lo que no sabía es que lo

(1) _____ (hacer) tan bien. Un día del mes pasado fui a su taller y me

sorprendió que (2) _____ (haber) pinturas tan buenas por todas partes.

Fermín me dijo que yo (3) _____ (elegir) el cuadro que más me

(4) _____ (gustar) porque ése iba a ser mi regalo de cumpleaños.

Después de pensarlo un rato, me llevé uno en el que había una pareja bailando. Al llegar a

casa mi compañera de cuarto me sugirió que (5) _____ (poner) el cuadro

en el salón para que lo (6) _____ (ver) nuestros amigos. El día de mi

cumpleaños todos se fijaron en el cuadro. Mi profesor de arte, que también vino a la fiesta,

quería que Fermín le (7) _____ (enseñar) sus otros trabajos porque en

la escuela iban a organizar una exposición de pintores jóvenes y necesitaban a artistas que

(8) _____ (tener) talento. En fin, mi profesor fue al estudio de Fermín y se

quedó muy impresionado con sus cuadros y ayer, cuando abrieron la exposición, había cinco

trabajos de mi amigo colgados en la sala principal. ¡Marimar, tienes que ir a verlos!

Nombre: _____   Fecha: _____

Referencia gramatical 2

8-5 Una experta. Julia trabaja en un museo y le encanta su trabajo. Usa el imperfecto de subjuntivo de los verbos **deber, poder, querer** y **saber** para completar el diálogo entre ella y su amigo Manolo.

MANOLO: Julia, ¿(1) _____ ir conmigo al cine esta noche?

JULIA: Hoy no tengo tiempo, pero el viernes sí que puedo. Ya sabes que estoy muy ocupada con la exposición de Diego Rivera.

MANOLO: (2) _____ descansar un poco. Te vas a poner enferma.

JULIA: Sí, ya lo sé. Pero antes de inaugurar una exposición siempre hay mucho trabajo.

MANOLO: Por cierto, Julia, ¿ (3) _____ prestarme el libro sobre Rivera que compraste en México? Así sabré más cosas cuando vaya a ver la exhibición.

JULIA: ¿Cuál de ellos? Tengo como seis o siete en casa.

MANOLO: No sé, préstame el más actual. ¡Ay, Julia! ¡Quién (4) _____ tanto como tú sobre arte!

Conexiones

8-6 Un regalo muy especial. Gerardo y Dolores han estado casados casi cincuenta años y su hijo Mario quiere regalarles un retrato de familia para su cincuenta aniversario. Completa el diálogo entre Mario y el pintor del cuadro usando el presente de subjuntivo.

MARIO: ¿Cuándo va a acabar el cuadro?

PINTOR: Lo voy a acabar **cuando** yo (1) _____. (entregar otro retrato) Y usted, ¿no me va a pagar nada todavía?

MARIO: Le pagaré algo **tan pronto como** yo (2) _____. (ver el cuadro en marcha)

PINTOR: Pues, pase por mi taller **en cuanto** usted (3) _____. (tener un rato libre)

MARIO: De acuerdo, pasaré por allí **después de que** mis padres (4) _____. (salir de vacaciones)

PINTOR: Se me olvidaba que es una sorpresa.

MARIO: Sí, es un secreto bien guardado, así que no iré por allí **hasta que** ellos (5) _____. (estar fuera de Buenos Aires)

8-7 Una buena pintora. Estás escribiendo un breve artículo sobre una pintora amiga tuya para la sección de arte de un periódico. Completa las oraciones temporales con el tiempo correspondiente del indicativo.

La pintora de la luz

Carmen Buendía nació en Caracas en 1960. Cuando (1) _____ (ser) niña siempre pintaba con sus acuarelas y sus lápices de colores. Su profesor de pintura de la escuela secundaria descubrió que tenía mucho talento en cuanto (2) _____ (ver) los dibujos que hacía para la clase. Habló con sus padres y les recomendó que la mandaran a la escuela de Bellas Artes. Allí aprendió diferentes técnicas de pintura mientras (3) _____ (estudiar) con buenos maestros. Tan pronto como (4) _____ (terminar) sus estudios, esta joven artista se puso a pintar y expuso sus primeros cuadros en la galería de arte Espacio. Ese fue el principio de su brillante carrera. Ahora Carmen es una pintora incansable. Mientras (5) _____ (trabajar) en sus acuarelas, experimenta con diferentes técnicas y materiales y nunca (6) _____ (salir) de su taller hasta que se pone el sol. Cuando uno (7) _____ (contemplar) sus cuadros, puede ver en ellos toda la luz del Caribe.

8-8 En la Ciudad de México. Blanca está de vacaciones en México. Une lógicamente la información de las columnas de la izquierda y la derecha para averiguar lo que le dijo a su amigo Alfredo.

1. Siempre me siento un poco cansada…
2. El sábado pasado fui al Palacio de Bellas Artes…
3. No me marcharé de la Ciudad de México…
4. Cuando era niña…
5. Después de que hablé contigo…
6. Visitaré la casa de Frida Kahlo en Coyoacán…
7. Me encanta ir a los museos…

a. …en cuanto tenga un rato libre.
b. …mientras Elena asistía a su clase de pintura.
c. …fui a ver los murales de la Universidad Nacional.
d. …después de que paso dos o tres horas dentro de un museo.
e. …hasta que no vea el Museo Arqueológico Nacional.
f. …mis padres me llevaban al museo con frecuencia.
g. …cuando estoy de vacaciones.

8-9 La carrera de Eduardo. Eduardo es un profesor de arte en la escuela secundaria. Escribe su información biográfica usando los datos siguientes. Usa los tiempos necesarios del indicativo o del subjuntivo.

1. Eduardo siempre / comprar / reproducciones / cuando / ir / museos

   _____

2. en 1995 / Eduardo / visitar / Museo Picasso / mientras / estudiar Barcelona

   _____

3. el año que viene / Eduardo / ir a enseñar / universidad / después de que / terminar / clases de la escuela

   _____

4. el próximo verano / ir a volver / Barcelona / en cuanto / poder

   _____

5. de niño / abuelos / regalar / pincel y / paleta / cuando / cumplir / cuatro años

   _____

6. durante su infancia / Eduardo / pintar / todas las tardes / hasta que / acostarse

   _____

7. ahora / Eduardo / trabajar / sus cuadros / tan pronto como / regresar / del trabajo

   _____

8. en el futuro / Eduardo / ir a hacer / exposición / cuando / tener / bastantes pinturas para exponer

   _____

8-10 Amante del arte. A Sofía le gustan mucho los retratos de su amigo Juan. Usa la información de las dos columnas para descubrir qué problema tuvo ayer y qué planes tiene para el mes que viene. Las oraciones de la columna A están en orden. Tienes que escoger en la columna B las que mejor completan cada oración.

A	**B**
fui a la galería de arte de Juan	aun cuando en esta ciudad llueve mucho
caminé a la galería sin paraguas	aun cuando llegue a casa a las siete o las ocho
llevo paraguas	a pesar de que trabajé hasta muy tarde
voy a comprar uno de los cuadros de Juan	aunque tenga que gastar todos mis ahorros
tendré que hacer horas extras para pagar el cuadro	aunque estaba lloviendo

1. Ayer _____

   y _____.

2. Nunca _____.

3. El mes que viene _____

   pero sé que _____.

8-11 La vida secreta de los artistas. Eres periodista y vas a escribir un artículo sobre una artista latina joven. Completa esta parte de la entrevista con el presente o el imperfecto de subjuntivo.

TÚ: ¿En qué momento descubriste tu vocación por la pintura?

ARTISTA: Creo que nací con ella. Mi madre dice que, de niña, no comía a no ser que me (1) _____ (poner) papel y lápiz al lado del plato.

TÚ: ¡Qué curioso! Y ahora, ¿cuándo pintas?

ARTISTA: Me gusta la luz de la mañana, así que pinto todos los días de sol a menos que (2) _____ (estar) fuera de casa trabajando en otro proyecto.

TÚ: En otra entrevista dijiste que el realismo es la única vía posible del artista responsable. ¿Qué quieres decir con esto?

ARTISTA: Yo creo que la pintura es una ventana para que la gente (3) _____ (descubrir) cómo es el mundo en el que vive todos los días. Yo no quiero cambiarlo, sino presentarlo tal y como es, sin que mis pinceles (4) _____ (influir) en lo que ve la gente.

TÚ: ¿Cuáles son tus planes inmediatos?

ARTISTA: Bueno, debo concluir el mural para el centro cultural César Chávez antes de que (5) _____ (empezar) el mal tiempo. Es difícil trabajar con la lluvia y el frío.

TÚ: ¿Te gustaría hacer otro mural o prefieres volver a tu taller?

ARTISTA: Trabajaría en otro mural siempre y cuando (6) _____ (poder) pintar lo que yo quisiera. Ese es el único requisito.

TÚ: ¿Vas a exhibir algunos de tus cuadros pronto?

ARTISTA: Pues todavía no lo sé. Me llamaron de la universidad para que (7) _____ (participar – yo) en una conferencia de artistas latinos jóvenes. Creo que también quieren hacer una pequeña exposición con las obras de todos. Ya veremos.

Nombre: _____   Fecha: _____

8-12 Una familia de artistas. Juan Carlos y su familia son muy creativos. Escribe las oraciones sobre ellos usando la información de las tres columnas. Cuidado con el uso del infinitivo y del presente e imperfecto de subjuntivo.

1. Mi madre pintaba acuarelas   para (que)   cerrar la exposicion especial sobre Goya (ellos)
2. Mi padre era escritor   antes de (que)   llegar el verano (yo)
3. Ayer fuimos al museo   dedicarse a la pintura (mi padre)
4. Mi hermano estudia   nacer (mi hermano)
5. Tomaré una clase de pintura   ver la exposición sobre Rivera (nosotros)
6. Quiero ir al Museo del Prado   ser arquitecto (mi hermano)

1. _____

2. _____

3. _____

4. _____

5. _____

6. _____

8-13 En otras palabras. Eres un artista y le estás contando a una modelo tuya algunas cosas sobre ti. Expresa de otra manera tus ideas teniendo cuidado con el uso del tiempo correspondiente del indicativo, del subjuntivo o con el infinitivo.

Modelo: "De niño pintaba con acuarelas."

          Pintaba con acuarelas cuando era niño.

   "Nadie me enseñó a pintar."

1. Empecé a pintar sin que nadie _____.

   "No gané mucho dinero al principio, pero pude pagar el alquiler del estudio."

2. Vendí mis primeros cuadros muy baratos para _____.

"En mi tiempo libre paseo por el campo para inspirarme."

3. Para inspirarme, paseo por el campo cuando _____.

"La gente conoce solamente mi mural *Tierra y mar*."

4. Nadie me conocía antes de que _____.

"Sólo pinto retratos de personas famosas."

5. No pinto retratos a no ser que _____.

"Admiro a los impresionistas, pero todos mis cuadros son abstractos."

6. Me gustan mucho los pintores impresionistas, aunque yo _____.

"Primero voy a terminar este fresco y después otros artistas y yo vamos a abrir una escuela de pintura."

7. Abriremos una escuela de arte después de que yo _____.

III. Cultura

8-14 Fernando Botero. María Luisa fue a ver una exposición
de Fernando Botero con José, su amigo colombiano y le gustó
tanto, que decidió buscar información sobre su vida y sus
obras. En un libro de arte encontró la siguiente información
sobre él. Léela y decide después cuáles de las ideas son ciertas
(**C**) y cuáles falsas (**F**)

Fernando Botero Biografía

Fernando Botero nació en Medellín en 1932. De niño había querido ser torero pero cuando creció cambió de idea y se hizo pintor. Fue hijo de una familia antioqueña sin muchos recursos sobre todo después de la muerte de su padre, David Botero. A los quince años, Botero sorprendió a todos con su decisión de ser pintor, lo cual era extraño para una familia conservadora y no particularmente inclinada hacia el arte. Comenzó como dibujante en el periódico *El Colombiano*. Más tarde decidió probar suerte en Europa y viajó a España. En Madrid estudió en la Escuela de San Fernando. Luego pasó a Florencia donde descubrió el renacimiento italiano y la pintura del quattrocento. En 1951 regresó a Colombia y tuvo su primera exposición en la Galería de Leo Matiz.

En 1952 Botero participó en el Salón Nacional de Artistas, donde ganó el segundo puesto con su óleo "Frente al mar". Hasta 1955 el tema de sus cuadros era los hombres y los caballos, todavía no había descubierto las "gordas" y las esculturas monumentales. Éstas aparecieron accidentalmente: un día, Botero pintaba una naturaleza muerta con una mandolina, cuando, de repente, el hueco se agigantó como una especie de iluminación estética. En ese instante surgió el tipo de arte que lo hiciera famoso.

Botero se casó con Gloria Zea en 1964 y tuvieron tres hijos: Fernando, Lino y Juan Carlos. El matrimonio vivió en México con muchas dificultades económicas; eventualmente, se separaron. Entonces, teniendo apenas 220 dólares y sin saber ni una palabra de inglés, Botero viajó a Nueva York. Vivió en un pequeño estudio en McDougal Street, en Greenwich Village. Botero tuvo que sobrevivir vendiendo sus obras por muy poco y haciendo réplicas de las grandes obras que vendía a los visitantes de los museos. Finalmente en 1970 su suerte cambió cuando ingresó a la Galería Marlborough, la más grande y prestigiosa del mundo. Con las exposiciones realizadas allí adquirió fama universal.

Hoy día, el maestro Botero trabaja en varios sitios del mundo. Tiene una casa en Piedrasanta, en la Tosacana de Italia, donde pasa el verano junto a sus hijos y sus nietos; allí, el funde sus esculturas de bronce. En la Costa Azul, en su apartamento de Montecarlo, hace los trabajos más pequeños, en acuarela, tinta china y sanguina. Pinta pasteles y acuarelas de gran tamaño en su apartamento de Nueva York, sobre Park Avenue. También tiene un apartamento en la Rue du Dragon, en la Rive Gauche de París, donde pinta los óleos grandes.

Botero ha llevado sus obras a Nueva York, Buenos Aires y Montecarlo. Japón y la China también han solicitado sus gigantescas esculturas que pesan entre 500 y 1.000 kilos y que cuestan 1.500 millones de pesos en promedio. La multitud de exposiciones que ha realizado en la última década incluyen las galerías más importantes del mundo en Estados Unidos, Francia, Brasil, Suecia, África del Sur, Colombia, Alemania, España, Corea, Italia, Venezuela, Austria, México, Argentina y Japón.

Fernando Botero disfruta la madurez de su éxito, sus obras están valoradas entre las más costosas del mundo. Por ejemplo, su obra "Desayuno en la hierba" fue vendida por un millón cincuenta mil dólares. Botero es el artista vivo más prestigioso del mundo y una de las grandes figuras del siglo XX.

1. De niño deseaba ser torero. ☐

2. Estudió arte en Madrid y Florencia. ☐

3. Antes de 1955 solamente hacía esculturas monumentales. ☐

4. México pasaba por una gran crisis económica cuando Botero se casó con Gloria. ☐

5. En Nueva York vendía sus réplicas a los visitantes de los museos. ☐

6. Botero trabaja en diferentes partes del mundo. ☐

7. Después de la exposición de París, Botero empezó a ser conocido en todo el mundo. ☐

8. Las esculturas gigantescas de Botero pesan entre 1.500 y 2.000 kilos. ☐

9. Las obras de Botero han sido expuestas en muchos países diferentes. ☐

8-15 Colombia. José, el amigo de María Luisa, le está haciendo ahora un 'examen' para ver lo que ésta sabe sobre Colombia. Ayuda a María Luisa a resolverlo. Si necesitas más información busca en el Internet o en la biblioteca.

1. Bogotá, Medellín y Cartagena son _____.

2. Al oeste está el _____ y al norte _____.

3. El Magdalena, el Cauca y el Putumayo son _____.

4. La cordillera de _____ forma tres cadenas de montañas que recorren el oeste de Colombia de Norte a Sur.

5. En el _____ de Bogotá se encuentra la mayor colección de joyas y artefactos de oro precolombinos del mundo.

6. El novelista colombiano _____ recibió el Premio Nobel de literatura en 1983 por su novela *Cien años de soledad*.

7. _____ son las piedras preciosas colombianas más cotizadas en el mundo.

8. Los cinco países que tienen frontera con Colombia son: _____, _____,

_____, _____ y _____.

IV. Ampliación

8-16 Hablan los artistas. Tres de los grandes pintores españoles contemporáneos están dando algunos datos sobre su larga vida. Lee la información y después completa el ejercicio según la información dada.

Pablo Ruiz Picasso

Nací en Málaga en 1881 y me morí en 1973. A los 14 años fui admitido en la escuela de Bellas Artes de Barcelona. Cuando comenzó el siglo empecé a pintar cuadros en los que predominaba el color azul. Yo quería que los personajes de estos cuadros expresaran melancolía y abandono. En 1904 cambié de técnica y adopté la monocromía rosa para que mis figuras expresaran una mayor alegría. En 1907 pinté *Las señoritas de Avignon*. No creía que este cuadro fuera a recibir tanta atención, pero a los críticos les gustó mucho y empezaron a citarlo como el prototipo del cubismo.

Durante la guerra civil española pinté un gran mural, el *Guernica*, para que fuera expuesto en la Exposición Internacional de París. Quería que la gente se diera cuenta de las consecuencias de la guerra. Al terminar la guerra, decidí que el cuadro no debía volver a España hasta que no hubiera de nuevo democracia en España. Aunque viví casi toda mi vida en Francia, siempre me sentí muy unido a la gente y cultura de mi tierra.

Joan Miró

Nací en Barcelona en 1893 y me morí en 1983. Fui pintor, ceramista, dibujante, grabador y escultor. Asistí a la Escuela de Bellas Artes de Barcelona. Cuando empecé a pintar, todos mis cuadros eran realistas pero después cambié de estilo y me hice surrealista. Durante la guerra civil viví en Francia y pinté un mural llamado *El segador* como reacción frente a ella. En 1958 la UNESCO me encargó que hiciera dos murales de cerámica para su edificio de París. Trabajé hasta el día de mi muerte.

Salvador Dalí

Nací en Figueras (Barcelona) en 1904 y me morí a los ochenta y cinco años. Estudié en la Escuela de Bellas Artes de Madrid. El pensamiento de Freud y los pintores surrealistas de París tuvieron una gran influencia en mi estilo. Siempre sentí curiosidad por los sueños y traté de que mis cuadros recogieran las imágenes caóticas y distorsionadas que se presentan en ellos. Mientras vivía en París conocía a Gala, la mujer de mi vida. Aunque soy famoso por mis pinturas, también hice la película *Un perro andaluz* con mi amigo Luis Buñuel y colaboré con Hitchcock en una película.

¿Quién lo dice? Identifica cuál de los tres pintores españoles dio la siguiente información biográfica. Puede ser más de uno.

> **Modelo:** Nací en el sur.   <u>Picasso</u>

1. Además de pintar, también hice esculturas. _____
2. Pinté un mural que mostraba mi oposición a la guerra civil española. _____
3. Viví parte de mi vida en Francia. _____
4. Nací en Cataluña. _____
5. Estudié en una Escuela de Bellas Artes. _____
6. Conocí a dos directores de cine muy famosos y trabajé con ellos. _____
7. Pinté muchos de mis cuadros siguiendo la estética del surrealismo. _____
8. Una de mis obras estuvo fuera de España durante la dictadura. _____

8-17 Un cuadro. Después de leer la información sobre los artistas españoles anteriores, decidiste buscar más información sobre las obras de uno de ellos. Busca en un libro de arte o en el Internet uno de sus cuadros y completa la información.

Pintor: _____

Título: _____

Técnica utilizada: _____

Descripción del cuadro: _____

_____

¿Por qué te gusta este cuadro? _____

_____

_____

8-18 Mi artista favorito. En este capítulo has aprendido información importante sobre algunos de los artistas más famosos de Latinoamérica y España. Ahora tú vas a escribir un párrafo de unas setenta palabras sobre tu artista favorito. Expresa tu opinión usando algunas de las frases siguientes.

¡Qué bonito/a, bello/a!	_____
¡Qué lindo/a!	_____
¡Me encanta!	_____
¡Es maravilloso/a, fabuloso/a!	_____
¡Qué genio que tiene el pintor!	_____
¡Es verdaderamente una obra de arte!	_____
¡Me deja sin palabras!	_____
¡No tengo palabras para describirlo/a!	_____

9

Capítulo nueve

La mujer orquesta

I. Vocabulario

9-1 El glosario. Acabas de leer un libro sobre la situación de la mujer en el mundo y ahora les estás dando a tus amigos algunos detalles sobre el libro. Completa la información con la palabra adecuada.

1. El libro es muy accesible porque la autora expresa sus ideas con mucha _____ (claridad, compasión).

2. En el libro se _____ (mencionan, derraman) ejemplos de diferentes culturas.

3. Según la autora, una de las cualidades que las mujeres valoran más en un hombre es la _____ (mezcla, ternura).

4. La autora cree que para las mujeres es más _____ (pujante, gratificante) compartir las tareas domésticas con el esposo y los hijos que hacer el trabajo de la casa sola.

5. En el libro hay un capítulo dedicado a la _____ (crianza, manera) de los niños en diferentes partes del mundo.

6. La autora tiene _____ (confianza, amargura) en que, en el futuro, los prejuicios sociales basados en el sexo van a desaparecer.

7. En el capítulo sobre las condiciones de trabajo, la autora propone que, para _____ (estrechar, facilitar) el acceso completo de la mujer al mundo laboral, los gobiernos deben invertir más dinero en jardines de infancia y otros servicios sociales.

9-2 Sopa de cognados A. Busca y marca en la sopa de letras los cognados para las siguientes palabras. Las palabras pueden ir en todas las direcciones. Todos los adjetivos están en femenino.

aggressive	clarity	compassion	confidence	to dedicate
dichotomy	to dominate	fertility	intimate	logical
masculine	rational	submissive	tolerant	

```
R  I  G  C  L  A  R  I  D  A  D  O  T  N
B  E  R  T  A  M  E  N  C  H  U  T  O  U
M  R  F  E  C  I  B  I  O  E  L  I  L  P
R  E  E  M  I  O  N  O  B  R  S  E  E  L
A  G  R  E  S  I  V  A  D  A  E  L  R  A
P  A  T  Z  I  E  N  M  P  C  I  L  A  N
O  V  I  A  N  R  E  M  C  I  I  E  N  N
T  O  L  I  T  A  O  S  N  D  O  V  T  E
N  T  I  M  I  C  A  Y  D  E  O  S  E  Y
G  A  D  O  M  I  N  A  R  D  B  R  A  I
E  L  A  T  A  O  A  M  I  S  T  S  R  A
L  E  D  O  L  N  D  L  O  G  I  C  A  E
L  I  T  C  E  A  R  A  T  M  U  R  A  E
N  E  L  I  C  L  U  A  U  R  E  N  T  A
Y  C  I  D  N  M  A  S  C  U  L  I  N  A
C  C  O  N  F  I  A  N  Z  A  O  R  M  T
```

B. Información secreta. Las letras que sobran leídas de la izquierda a la derecha, forman una oración con la información secreta. Las tres últimas letras corresponden a las iniciales del nombre de una de las personas mencionadas en la información secreta.

1. Información secreta: _____

_____

2. Iniciales y nombre completo de la persona mencionada: _____

_____

Nombre: _____ Fecha: _____

9-3 Un informe alarmante. La Cruz Roja Internacional preparó un informe sobre la condición de las mujeres en un país en el que está trabajando muy intensamente. Aquí hay algunos datos incluidos en el informe. Complétalos con los siguientes verbos y haz los cambios necesarios:

apoyar	mantener	soportar	sostener

1. En este país las mujeres _____ condiciones de vida muy duras.

2. Para muchas de ellas es imposible _____ a sus familias con el poco dinero que ganan sus esposos.

3. En los últimos años muchas organizaciones están _____ las iniciativas de las mujeres para crear pequeños negocios.

4. Algunos grupos conservadores _____ que si las mujeres se independizan económicamente, habrá conflictos sociales.

9-4 Propuestas. Estos amigos están haciendo planes para el viernes. Completa las conversaciones que tienen usando las expresiones para **invitar, aceptar** y **rechazar.**

Te invito a…	Gracias. Me encantaría.	Lo siento, pero me es imposible.
¿Quieres / Querrías…?	Me gustaría mucho.	Me encantaría, pero no puedo.
¿Te gustaría…?	Sí, como no.	Lo siento, pero tengo que decir que no.
	Encantado/a. (Lo acepto) con mucho gusto.	¡Cuánto lo siento!
		Perdóname, pero esta vez no puede ser.

RAQUEL: Marisa, ¿Te (1) _____ salir a tomar algo después del trabajo?

MARISA: Me (2) _____, pero no puedo porque esta tarde celebramos el cumpleaños de mi hija y tengo que volver temprano a casa.

ALICIA: ¿(3) _____ ir al cine esta noche?

SOFÍA: ¡Cuánto (4) _____! No puedo aceptar porque mi madre está enferma y quiero quedarme en casa con ella esta noche.

PEDRO: (5) _____ a cenar otra vez en el restaurante francés que tanto te gusta.

BEATRIZ: (6) _____ porque ya he hecho planes con Luisa y Ana para salir esta noche.

ALEJANDRA: ¿(7) _____ cenar conmigo esta noche en mi casa?

PEDRO: Gracias. (8) _____. ¿Qué llevo para la cena?

II. Gramática

Referencia gramatical 1

9-5 Planes para la niña. Jordi y Carmen acaban de ser padres y tienen muchos planes para su hija. Jordi es catalán y Carmen es andaluza. Completa sus ideas para la niña con el futuro de los verbos entre paréntesis.

Modelo: Marta <u>aprenderá</u> (aprender) a tocar un instrumento musical.

Jordi:

1. Marta _____ (estudiar) con nosotros todos los días.

2. Yo le _____ (leer) cuentos todas las noches.

3. La niña _____ (saber) dos lenguas: el catalán y el castellano.

4. Nosotros _____ (hacer) todo lo posible para que vaya a la universidad y estudie lo que quiera.

Carmen:

5. Marta _____ (tener) juguetes no exclusivos de niñas.

6. Nosotros tres _____ (ir) de excursión a muchos lugares interesantes.

7. Marta _____ (poder) crecer en una sociedad con menos prejuicios.

8. Seguramente _____ (haber) más oportunidades profesionales para ella que para mí.

9. ¿Qué _____ (pensar) ella de nosotros cuando sea mayor?

Referencia gramatical 2

9-6 Sueños de ministra. Cristina Ibárruri trabaja en una escuela, pero en el futuro quiere dedicarse a la política. Está explicándole a un grupo de mujeres que trabajan con ella lo que haría por las mujeres. Escribe oraciones completas usando el condicional de los verbos.

1. yo / crear / programas de Estudios de la Mujer / en las universidades

   _____

2. las mujeres / poder / pedir préstamos / fácilmente

   _____

3. nosotros / facilitar / el acceso / de las mujeres / al mundo del trabajo

   _____

4. Rosa, tú / dirigir / el departamento / de planificación familiar

   _____

5. las mujeres / saber / dónde / pedir ayuda

   _____

6. nosotros / poner / más jardines de infancia / en todos los barrios

   _____

7. nuestros centros de salud / ofrecer / servicios especiales

   _____

8. las mujeres / venir / a nuestras clínicas / con confianza

   _____

9. y tú, Blanca, / ¿qué / hacer?

   _____

Conexiones

9-7 Consejos de madre. Daniela le está dando algunos consejos muy útiles a su hija Paula. Escoge el mejor consejo para cada situación. Luego escribe los consejos de la madre.

Modelo: (hablar) con otras mujeres sobre tus problemas—ellas (entender) tu situación
Si hablas con otras mujeres sobre tus problemas, ellas entenderán tu situación.

1. (ser) sumisa
2. (dedicarse) a la casa solamente
3. (acariciar) a tus hijos
4. (demostrar) confianza en el trabajo
5. no (poder) controlar a tus hijos
6. (mantenerse) activa intelectualmente

ellos no te (respetar)
tu esposo (ignorar) tus cualidades
(sentirse) bien contigo misma
(acabar) cansada de las tareas domésticas
(ser) hombres cariñosos en el futuro
tus compañeros te (admirar)

1. _____

2. _____

3. _____

4. _____

5. _____

6. _____

9-8 Consejos encadenados. No estás contenta en tu trabajo y tu amiga te está dando algunos consejos para encontrar otro. Completa sus consejos continuando la cadena de oraciones como se presenta en el modelo.

Modelo: Si no estás contenta en esa oficina, <u>busca otro trabajo.</u>

Si **buscas otro trabajo**, <u>prepárate previamente.</u>

Si **te preparas previamente**, <u>encontrarás algo bueno.</u>

Si **encuentras algo bueno**, estarás feliz.

1. Si buscas un trabajo nuevo en el periódico, _____.

2. Si encuentras muchas posibilidades, _____.

   Si seleccionas la mejor para ti, seguro que conseguirás una entrevista.

3. Si consigues una entrevista, _____.

4. Si haces una lista de preguntas, _____.

   Si no te olvidas de preguntar por los beneficios, tendrás una idea más clara de las ventajas de los puestos que solicites.

   Si te llaman de la empresa INSESA, ve a la entrevista.

5. Si _____, cómprate un traje serio.

6. Si _____, causarás una buena impresión.

   Si te ofrecen el trabajo, acéptalo.

7. Si lo aceptas, _____.

   Si pides un buen horario, te lo darán sin problemas.

   Si empiezas a trabajar en INSESA, llega siempre a tiempo.

8. Si _____, asegúrate de que tu jefe lo sabe.

9. Si _____, al final de año recibirás un aumento de sueldo.

9-9 Tareas domésticas. Gabriela tiene algunos problemas con su familia. La lista A explica los problemas y la lista B da las recomendaciones de una asistente social. Escribe oraciones condicionales basándote en la información de las dos listas siguiendo el modelo. Empieza la oración con la información en la lista B. Haz los cambios necesarios.

Modelo: Tengo problemas con mi esposo. Debes hablar inmediatamente con él.

Habla con tu esposo inmediatamente si tienes problemas con él.

A. Problemas

1. Mi esposo es muy desordenado.
2. Mis hijos no quieren ordenar su cuarto durante la semana.
3. Mis hijas piensan que no las entiendo.
4. Trabajo en una oficina todo el día.
5. Mi esposo nunca quiere ayudarme a preparar la comida.
6. Mi esposo y yo nunca tenemos tiempo para hacer cosas juntos.
7. Me siento muy frustrada con mi familia.

B. Recomendaciones

No debes organizar las cosas de tu esposo.

Debes ponerte seria con tus hijos y obligarles a limpiar.

Debes tener paciencia y escuchar a tus hijas.

Debes contratar a alguien para hacer las tareas domésticas.

Debes establecer turnos para cocinar.

Deben buscar una niñera de vez en cuando.

Debes irte de vacaciones sola.

1. _____

2. _____

3. _____

4. _____

5. _____

6. _____

7. _____

9-10 **La carta de Gabriela.** Gabriela tomó en serio los consejos de la asistente social y se fue de vacaciones durante una semana con un grupo de mujeres. Esta es la carta que le escribió a su esposo. Complétala con los tiempos correspondientes.

Querido Carlos:

Espero que tú y los chicos estén bien. Si (1) _____ (tener-tú) algún problema, llama a los tíos. Estos días en la playa están siendo muy gratificantes y estoy descansando mucho. Si me acuerdo, te (2) _____ (comprar) un libro con fotos del pueblito tan hermoso donde estamos. Por favor, riega las plantas si (3) _____ (ver) que están un poco secas. Diles a los chicos que si no limpian su cuarto antes de mi vuelta, no les (4) _____ (dar) los regalitos que les he comprado. Volveré a casa el lunes próximo si (5) _____ (haber) billetes de tren para ese día. Si no (6) _____ (conseguir) billetes, te llamaré por teléfono por la noche para decirte exactamente el día y la hora a la que llego.

Un beso muy fuerte para todos.

Gabriela

Conexiones

9-11 **Quejas de las mujeres.** Un grupo de mujeres de una empresa de automóviles se siente discriminado y ha escrito una carta a la dirección. Aquí hay algunas de las quejas extraídas de la carta. Une la información de las dos columnas para saber de qué se quejan estas mujeres.

Modelo: tener permisos por maternidad estar más contentas

Si tuviéramos permisos por maternidad, estaríamos más contentas.

1. no haber discriminación en esta empresa   los hombres y las mujeres recibir el mismo sueldo
2. importarles nuestros hijos   abrir (ellos) una guardería infantil en la empresa
3. haber una mujer en la dirección   hacer algo por las empleadas
4. no ser (ellos) machistas con nosotras   sentirnos mejor trabajando aquí

1. Si _____.

2. Si _____.

3. Si _____.

4. Si _____.

9-12 Momentos difíciles. Elena le está explicando a su hermana la situación tan difícil por la que Roberto y ella están pasando en estos momentos. Escribe oraciones condicionales para explicar cómo sería la situación contraria. Sigue el modelo.

<u>Trabajo tantas horas que estoy siempre cansada.</u> Los hombres con quienes trabajo son agresivos y por eso no me siento bien en la fábrica. No tengo tiempo de leer el periódico y por eso no sé lo que pasa en el mundo. Los fines de semana estoy siempre tan agotada que no quiero salir nunca por la noche.

Roberto perdió su trabajo hace tres meses y por eso yo tengo que trabajar tanto. El pobre está tan deprimido con las tareas domésticas que yo tengo que alentarle todo el tiempo. Cocina tan mal que comemos siempre lo mismo.

¡Qué situación!

Modelo: "Trabajo tantas horas que estoy siempre cansada."

Si no trabajara tantas horas, ella no estaría tan cansada.

1. _____

2. _____

3. _____

4. _____

5. _____

6. _____

9-13 La culpa es de Roberto. Mónica, la hermana de Elena, cree que Roberto es el culpable de la situación de Elena y le ha dicho lo siguiente sobre él. Escribe las oraciones condicionales correspondientes con el imperfecto de subjuntivo y el condicional.

Modelo: si mi esposo / no saber cocinar / enseñarle

Si mi esposo no supiera cocinar, yo le enseñaría.

1. si Roberto / no ser / machista / no estar deprimido

_____

2. Roberto / ayudarte más / si / respetarte

_____

3. Roberto / encontrar trabajo / si / querer

_____

4. si / yo / tener / esposo / como Roberto / divorciarse

_____

9-14 Situaciones hipotéticas. Imagina que tienes un puesto de trabajo que te permite hacer algo para mejorar el problema de la discriminación femenina. Explica qué harías usando oraciones condicionales como la del modelo.

Modelo: *Si dirigiera una empresa, daría permisos por maternidad a las mujeres.*

1. Diriges una empresa:
   a) _____
   b) _____

2. Te han nombrado ministro/a de trabajo:
   a) _____
   b) _____

3. Eres el rector/ la rectora de una universidad:
   a) _____
   b) _____

4. Trabajas en las Naciones Unidas.
   a) _____
   b) _____

III. Cultura

9-15 Una directora de cine. Estás escribiendo un informe sobre la mujer en el cine latinoamericano y español y encontraste en un periódico de 1995 el siguiente artículo sobre la directora argentina María Luisa Bemberg. Léelo y escribe una ficha breve sobre la directora.

Muere María Luisa Bemberg

Ayer, día 7 de mayo murió de un cáncer fulminante la directora argentina María Luisa Bemberg. Nacida en 1922 en Buenos Aires, no se dedicó a la carrera cinematográfica hasta su madurez. Su primer guión cinematográfico fue el de la película "Crónica de una señora" (1971), dirigida por Raúl de la Torre. En ella se cuenta la historia de una esposa rica y angustiada. En 1981 Bemberg produjo, escribió y dirigió su primera película, titulada "Momentos". Un año después hizo una película bastante polémica sobre la amistad entre un homosexual y una mujer separada. Esta película, titulada "Señora de nadie", representaba una crítica a la sociedad represiva y patriarcal argentina desde una perspectiva feminista.

"Camila", de 1984, fue candidata al Oscar a la mejor película extranjera en 1985. La película trata de la trágica pasión entre Camila O'Gorman, joven perteneciente a la alta sociedad bonaerense, y el sacerdote Ladislao Gutiérrez. Dos años más tarde dirigió "La señorita Mary" y en 1990 "Yo, la peor de todas", protagonizada por la actriz española Asumpta Serna y basada en el ensayo del Premio Nobel mexicano, Octavio Paz, "Sor Juana Inés de la Cruz o las trampas de la fe" sobre la famosa poeta mexicana del siglo XVII. "De eso no se habla" (1993) fue la última de las películas dirigida por María Luisa Bemberg.

Ficha sobre María Luisa Bemberg

1. Fecha en la que apareció este artículo: _____

2. Edad a la que murió Bemberg: _____

3. Causa de la muerte: _____

4. Número de películas dirigidas por ella: _____

5. Película nominada para un Oscar: _____

6. Película basada en una monja mexicana: _____

9-16 **Argentina.** El mes que viene va a haber un festival de cine en Buenos Aires y has conseguido una beca para poder asistir. Ahora vas a buscar algunos datos importantes sobre este país en la biblioteca o el Internet.

1. Tres ciudades importantes: B_____ A_____, C_____, R_____

2. Tres ríos importantes: P_____, P_____, S_____

3. Pico de los Andes de 7.021 metros: A _____

4. Región del Sur de Argentina: P _____

5. Primer explorador europeo de Argentina (1516): J_____ D_____
   d_____ S_____

6. Año de la independencia de Argentina: 18_____

7. Moneda: p_____

8. Música y baile de Buenos Aires famosos en todo el mundo: t_____

9. Nombre de los vaqueros de las pampas: g_____

10. Dos autores famosos: J_____ C_____, J_____ L_____
    B_____

IV. Ampliación

9-17 Voces femeninas. Ayer viste la película de María Luisa Bemberg "Yo, la peor de todas" y alguien te recomendó que leyeras el siguiente ensayo de María A. Camino.

La voz femenina

Cine y Literatura: dos mundos, dos oficios que por mucho tiempo han sido principalmente el dominio de los hombres solamente y al que la mujer ha tenido contadas incursiones, a tal punto que las feministas de fines de los sesenta lo definieron como "mirada androcéntrica".

Es obvio que hay un gran número de películas que tienen como protagonistas a mujeres. Igualmente es incalculable el número de escritores que han escrito sobre ellas. Muchos han tenido la capacidad de describir a la mujer con cierta fidelidad. Pocos han podido reflejarla con absoluta exactitud. Así es que existen inolvidables personajes femeninos como Molly Bloom del último capítulo del *Ulyses* de James Joyce o la Pepa de "Mujeres al borde de un ataque de nervios" de Pedro Almodóvar. Sin embargo, la mujer es sólo presentada en su totalidad femenina cuando es reflejada por las mismas mujeres. Con la visión femenina, estas artes adquieren un carácter revelador, íntimo, confesional para dar un testimonio único de lo que hace, cree, siente y piensa el llamado "sexo débil".

María Luisa Bemberg y Elena Poniatowska son dos mujeres que se lazaron al mundo de la creatividad y, con mucho esfuerzo, consiguieron ser ejecutoras de su propio arte. No se dejaron vencer por antiguos miedos ni tampoco se sometieron al silencio. Al contrario decidieron hablar a gritos a través de su arte.

Así, Bemberg a través del cine y Poniatowska a través de sus escritos dieron luz a personajes femeninos históricamente olvidados. Por esto, el vínculo entre Poniatowska y Bemberg no es sólo temático sino que presenta también la misma preocupación: el papel que ha jugado la mujer en la sociedad patriarcal argentina y mexicana.

Elena Poniatowska escogió para sus relatos y novelas a mujeres desconocidas que nos cuentan a gritos su dolor, cada una de ellas es prototipo de la mujer mexicana que lleva la marca de la miseria y el silencio.

En cambio, Bemberg eligió mujeres burguesas sin carencias y aristócratas ricas que aparecen en sus películas.

Pero, ya sean ricas o pobres, las dos presentan mujeres ignoradas, mujeres calladas. … Cada una de ellas evidencia lo desgarrador de la soledad femenina en un contexto dominado por los hombres.

Ahora decide cuáles de las siguientes ideas son ciertas (**C**) o falsas (**F**), basándote en la información que se presenta en la primera parte del ensayo.

1. El cine y la literatura han presentado siempre el mundo masculino. ____

2. El cine y la literatura producidos por mujeres representan un testimonio fiel sobre las mujer. ____

3. Bemberg y Poniatowska mostraron su miedo a través del silencio de sus personajes. ____

4. Bemberg y Poniatowska tratan los mismos temas, pero sus preocupaciones son diferentes. ____

5. Las mujeres de Poniatowska son prototipo de la mujer mexicana sin voz propia. ____

6. Las protagonistas de Bemberg pertenecen a todas las clases sociales. ____

9-18 Énfasis en la lengua. Vuelve a leer el ensayo de Camino del ejercicio **9-17** para ver cuáles son las palabras y frases conectoras que usa la autora para dar cohesión a su texto. Busca en el ensayo los siguientes conectores.

| por esto | pero | en cambio | al contrario | sin embargo |

Modelo: sin embargo; párrafo número _____2_____

1. Tres conectores para contrastar ideas:

   a) _____; párrafo número _____

   b) _____; párrafo número _____

2. Un conector para introducir la idea opuesta _____; párrafo número
   _____

3. Un conector para introducir el resultado que produce algo _____; párrafo
   número _____

Nombre: _____ Fecha: _____

9-19 La mujer en Chile. Tu amiga chilena te trajo información sobre el Instituto de la Mujer de Chile. Lee los planes de la organización y responde a las preguntas que se dan a continuación.

DESARROLLO ECONÓMICO Y EMPLEO FEMENINO

- Según las Naciones Unidas, Chile es uno de los países donde existe mayor desigualdad socioeconómica entre hombres y mujeres.
- Las mujeres son más pobres porque enfrentan obstáculos para encontrar empleo y son objetos de discriminación laboral.
- Esta desigualdad socioeconómica se supera:

  –Asegurando que todos los niños y niñas, cuyas madres o padres lo requieran, tengan acceso a servicios de sala cuna y jardín infantil de buena calidad. Generando leyes y mecanismos de fiscalización que eliminen y sancionen las desigualdades arbitrarias en los contratos y remuneraciones.

  –Tipificando como delito el acoso sexual.

  –Garantizando a las trabajadoras y dueñas de casa la posibilidad de completar su educación media y acceder a programas de capacitación laboral en horarios compatibles con sus otras obligaciones.

SEXUALIDAD Y SALUD REPRODUCTIVA

- Asegurar que los servicios de salud entreguen la información adecuada sobre los métodos para prevenir el embarazo y SIDA a mujeres y hombres en edad reproductiva.
- Despenalizar el aborto terapéutico que actualmente castiga con penas provativas de libertad a las mujeres que interrumpen su embarazo cuando están en riesgo de vida.

1. ¿Por qué las mujeres chilenas son más pobres que los hombres?

   _____

2. ¿Qué soluciones propone el Instituto de la Mujer para los niños?

   _____

3. ¿Qué propone el Instituto para terminar con las desigualdades en el trabajo?

   _____

4. ¿Qué piensa el Instituto sobre el acoso sexual?

   _____

5. ¿Qué se quiere hacer para que las mujeres participen en programas educativos?

   _____

6. ¿Qué deben proveer los servicios de salud?

   _____

7. ¿Qué piensa el Instituto sobre el aborto terapéutico?

   _____

8. Tu opinión: ¿Qué dos cosas harías tú si fueras la directora del Instituto de la Mujer de Chile?

   _____

   _____

Repaso 3

R3-1 Definiciones. Vas a escribir un diccionario monolingüe de bolsillo para un amigo que quiere aprender español y elegiste las siguientes definiciones para las palabras dadas. Une la palabra de la izquierda con la definición correspondiente de la derecha.

1. el afán	a. información sobre estudios y experiencia de trabajo de una persona
2. el currículum vitae	b. pintura o fotografía de una persona
3. el sueldo	c. poner dinero en un negocio
4. la bolsa	d. el deseo
5. el lienzo	e. enseñar a alguien a hacer algo o prepararse para una competición
6. el cónyuge	f. poner los brazos alrededor de una persona para mostrar cariño
7. la jubilación	g. dinero que se recibe por el trabajo
8. el retrato	h. tela blanca que usan los pintores para pintar sus cuadros
9. abrazar	i. apoyar con dinero un proyecto o una organización
10. entrenar	j. el esposo o la esposa
11. patrocinar	k. la más importante del mundo está en Wall Street, Nueva York
12. invertir	l. dinero que se recibe al dejar de trabajar después de muchos años

R3-2 Las mujeres de Rosalía. Rosalía admira mucho a las mujeres de su familia y ahora está explicándole a un amigo algunas cosas de ellas y de sí misma. Marca con un círculo la palabra o expresión correcta para completar su información.

a) —Mi madre piensa que ahora la comunicación entre los sexos es más sincera porque las mujeres pueden (1) (contratar, relacionarse, convertir) con los hombres de una manera más (2) (auténtica, emprendedora, sustentadora).

b) —Mi abuela me dijo que cuando ella era muy joven (3) (realizó, tomó decisiones, se dio cuenta) de que le gustaba mucho (4) (nutrir, firmar, pintar) y su padre no la dejó que asistiera a la escuela de Bellas Artes. Mis bisabuelos tenían una panadería y mi abuela se pasó toda su juventud (5) (teniendo iniciativa, atendiendo al público, alejándose).

c) —Mi hermana es periodista y para escribir sus artículos, usa como (6) (crianza de los niños, fuente de inspiración, bienes raíces) la vida y experiencias de las mujeres. Mi hermana se expresa con (7) (claridad, asunto, mensaje) y trata temas que nos afectan a todas nosotras.

d) —Yo ya decidí el tema de investigación para mi clase de literatura de mujeres. Mañana voy a preparar un (8) (esquema, publicidad, ámbito) de mi proyecto para mi profesora. ¡Espero que ella lo apruebe!

R3-3 Palabras indefinidas y negativas. Daniel y Jorge comparten un apartamento desde hace solamente dos días. Jorge tiene un problema, pero no se lo quiere decir a Daniel. Escribe las respuestas de Jorge usando las palabras negativas correspondientes.

DANIEL: ¿Fuiste a alguna clase esta mañana?

JORGE: No, (1) _____.

DANIEL: ¿Hablaste con alguien en el trabajo?

JORGE: No, (2) _____.

DANIEL: ¿Comiste algo al mediodía?

JORGE: No, (3) _____.

DANIEL: ¿Quieres un poco de pollo o de pescado?

JORGE: No, (4) _____.

DANIEL: ¿Eres siempre tan serio?

JORGE: No, (5) _____.

DANIEL: ¿Entonces te pasa algo?

JORGE: No, (6) _____.

DANIEL: Bueno, hombre, no te pongas así.

R3-4 Los planes de María Eugenia. María Eugenia está estudiando pintura e historia del arte. Ahora está haciendo planes para el futuro. Completa su información con el presente de indicativo o de subjuntivo de los verbos en paréntesis.

Mi madre siempre me dice que debo tratar de exponer mis cuadros en la galería Marco, pero

yo no conozco a ningún estudiante de mi escuela que (1) _____ (exponer)

sus pinturas en esa galería. Es una galería demasiado selectiva. Sin embargo, en mi clase de

arte hay una estudiante que (2) _____ (pintar) unos óleos buenísimos y

voy a decirle que se los enseñe al director. Quizá ella pueda ser la primera. A mí me interesa

más ser profesora de arte que dedicarme sólo a pintar y por eso estoy buscando un puesto

de trabajo que (3) _____ (estar) relacionado con la enseñanza. Ayer visité

una escuela que (4) _____ (tener) un programa de arte muy interesante y

están buscando un profesor. Me dijeron que el candidato que (5) _____

(elegir-ellos) deberá ocuparse de enseñar historia del arte y de llevar a los estudiantes a los

museos. Me parece que voy a solicitar el puesto porque creo que reuno todas las cualidades

que (6) _____ (buscar-ellos).

R3-5 La historia de Amanda. A. Une la información de las dos listas para reconstruir la historia de Amanda.

Lista A

1. Ahora trabaja temporalmente en una empresa de publicidad…

2. Empezó a estudiar informática en la universidad…

3. Cuando tenga trabajo y gane algo de dinero…

4. Cambió de opinión…

5. Cuando tenía dieciséis años…

6. No buscará un puesto de trabajo más estable…

Lista B

a. …hasta que no se gradúe.

b. …en cuanto reunió el dinero necesario para pagar la matrícula.

c. …después de que descubrió que le daba miedo la sangre.

d. …cuando tiene vacaciones en la universidad.

e. …quería ser médica.

f. …podrá viajar y hacer cosas que antes no se podía permitir.

B. Indica ahora el orden cronológico de la historia de Amanda:

_____, _____, _____, _____, _____, _____.

R3-6 Los problemas de Pablo. Llegó el invierno y Pablo está enfermo pero siente la obligación de volver al trabajo. Escribe las oraciones sobre Pablo basándote en la información dada.

1. Pablo / siempre / ponerse enfermo / en cuanto / llegar / el invierno

   _____

2. ayer Pablo /ir /trabajar / aunque / no sentirse bien

   _____

3. hoy llamar / el médico / tan pronto como / despertarse

   _____

4. querer / hablar / con el médico / para que / recomendar / algo eficaz

   _____

5. Pablo /necesitar / volver / a la oficina / antes de que / el director / regresar / del viaje

   _____

6. el equipo de Pablo / no hacer nada / sin que / él / estar / delante

   _____

R3-7 Las dos profesiones de María. María es pintora y profesora de literatura. A continuación tienes algunos datos biográficos sobre sus dos profesiones. Completa los espacios en blanco con el infinitivo o con el tiempo correspondiente del indicativo o del subjuntivo. Añade **que** donde sea necesario.

María empezó a pintar muy bien cuando (1) _____ (ser) niña. Por eso, al cumplir los dieciséis años, sus padres la enviaron a una escuela de arte para (2) _____ (aprender) diferentes técnicas y (3) _____ (desarrollar) más su talento artístico. Antes de (4) _____ (graduarse), María se dio cuenta de que, si quería dedicar su vida al arte, tendría que marcharse a otra ciudad más grande en cuanto (5) _____ (terminar) las clases y empezar otra carrera para (6) _____ (ganar) dinero y (7) _____ (abrir) su taller. María empezó a estudiar literatura en la universidad y finalmente consiguió un doctorado. Sus amigos pensaron que María se olvidaría de la pintura después de (8) _____ (empezar) a trabajar como profesora de literatura, pero no ocurrió así. Con el tiempo, María abrió su taller de pintura con sus propios ahorros.

En las próximas semanas van a exponer los cuadros de María en una exhibición de artistas latinos. Tan pronto como (9) _____ (terminar) la exposición, María irá a México para (10) _____ (dar) una conferencia sobre el arte y la literatura y les va a comprar unos boletos de avión a sus padres para (11) _____ (ir -ellos) con ella. Seguro que sus padres (12) _____ (aceptar) la invitación siempre y cuando su hija les prometa que los va a acompañar a todas partes.

R3-8 La opinión de la abuela. Rebeca es una joven muy independiente. Su abuela es muy conservadora y no le gusta nada cómo es Rebeca. Escribe las opiniones de la abuela usando oraciones condicionales como la del modelo.

Modelo: tus amigos reírse de ti / teñirte (*dye*) el pelo de color verde
Tus amigos se reirán de ti si te tiñes el pelo de color verde.

1. yo nunca ir a ningún partido tuyo / jugar al fútbol

   _____

2. tener muchas dificultades en tus clases / estudiar Ingeniería Mecánica

   _____

3. parecer un chico / cortarte el pelo

   _____

4. no encontrar trabajo / vestirte siempre con esa ropa

   _____

5. no casarte / no cambiar de actitud

   _____

R3-9 ¿Qué pasaría? A Mario le gustan mucho los niños y trabaja en una guardería infantil de un barrio obrero de Madrid, pero ¿cómo sería su situación en otras circunstancias? Lee el párrafo sobre él y después continúa tus hipótesis con la misma estructura condicional dada como modelo.

Mario trabaja en una guardería y por eso se siente muy feliz. En esta guardería los niños están de ocho a cinco y así sus padres pueden trabajar a tiempo completo. Mario hace actividades divertidas con los niños y ellos lo adoran. La jefa de Mario está contenta con el trabajo de Mario y piensa contratarlo para el año que viene. A Mario le gustan los niños y quiere quedarse en la guardería más tiempo. Los niños son tranquilos y los trabajadores nunca tienen problemas con ellos.

Modelo: Si Mario no trabajara en una guardería, no se sentiría tan feliz.

1. _____

2. _____

3. _____

4. _____

5. _____

R3-10 ¿Qué dicen? Elena, Paulina y Victoria hablaron en un programa de radio sobre sus profesiones. Completa sus ideas con la información de la columna de la derecha.

Elena (mujer de negocios)

1. Si yo tuviera más tiempo libre en mi trabajo…

2. Si no trabajara tantas horas…

no sentirme realizada como persona.

hacer más ejercicio.

Paulina (pintora)

no educarla de modo diferente a un hijo.

3. Si te dedicas solamente a la pintura…

poder dedicarme más a mis hijos.

4. Si yo no pintara…

aprobar más programas sociales para las mujeres.

vivir con muchos problemas económicos.

Victoria (escritora feminista)

5. Si hubiera una mujer en la presidencia…

6. Si tienes una hija…

Modelo: *Si quieres dedicarte a los negocios, toma clases de administración de empresas.*

Elena (mujer de negocios)

1. _____

2. _____

Paulina (pintora)

3. _____

4. _____

Victoria (escritora feminista)

5. _____

10 Capítulo diez
La globalización y la tecnología

I. Vocabulario

10-1 Un crucigrama. Eduardo está leyendo una revista de economía y encuentra el siguiente crucigrama. Ayúdale a completarlo.

Horizontales

1. lo opuesto a riqueza
2. lo opuesto a aumento
3. lo opuesto a compras
4. lo opuesto a caro
5. dinero que te da alguien pero que debes devolver en el futuro
6. en una tienda cuando reducen el precio inicial de un producto

Verticales

7. solicitar
8. Dinero que calculas que vas a necesitar para pagar tus gastos mensuales.
9. poner dinero en un negocio o en la bolsa
10. lo opuesto a pérdida

10-2 Hablando de economía. Violeta, Estrella y Manolo están hablando sobre economía antes de su clase de contabilidad. Completa sus ideas usando las palabras y expresiones que se dan a continuación. Realiza los cambios necesarios.

afectado	alza	bancarrota	cobrar	costo de vida
desempleo	por ciento	recesión	salario mínimo	sucursal

Violeta:

"En mi país la gente vive peor ahora porque el (1) _____ ha aumentado mucho más que los salarios en los últimos años."

"La fábrica de mi padre no vendió nada el año pasado y ya no puede pagarle a los trabajadores, así que se ha declarado en (2) _____."

"Parece que este año el gobierno va a aumentar el (3) _____ de todos los trabajadores de la administración pública. ¡Ya era hora!"

Estrella:

"En mi país la economía creció mucho en los años sesenta; sin embargo los setenta fueron años de (4) _____ económica. El (5) _____ aumentó mucho y por eso mucha gente emigró a otros países para buscar trabajo."

"Cuando se produce un (6) _____ en el precio del petróleo, toda la economía sufre sus efectos."

"Generalmente los más (7) _____ por las crisis económicas son los pobres."

Manolo:

"El año pasado abrieron en mi ciudad (8) _____ de varios bancos extranjeros."

"Dicen que la producción de la empresa donde trabaja mi padre aumentará un cuatro (9) _____ este año. Espero que también le suban el sueldo."

"Ayer fui al banco a cambiar dinero y me (10) _____ 500 pesetas por la operación. ¡Los bancos son increíbles!"

Nombre: _____ **Fecha:** _____

10-3 Un día de mala suerte. Andrés tuvo hoy un mal día. Aquí tienes parte de la conversación entre él y su jefe. Completa las preguntas del jefe con las palabras y expresiones equivalentes a *to be late*. Haz los cambios necesarios.

llegar tarde	ser tarde	tardar

JEFE: ¿Por qué (1) _____ al trabajo otra vez? Es ya el décimo día este mes.

ANDRÉS: Es que ahora no tengo auto y tengo que venir en autobús.

JEFE: ¿Pero cuánto (2) _____ el autobús desde tu casa a la oficina?

ANDRÉS: Por lo menos una hora y si el tráfico está mal…

JEFE: Bueno, Andrés, ¿y no tienes un teléfono celular? Si te das cuenta de que

(3) _____ demasiado, puedes llamar desde el autobús y avisar.

ANDRÉS: Es que tampoco tengo teléfono celular.

JEFE: Pues ya sabes, la única solución es levantarse más temprano, ¿no te parece? Tus retrasos afectan a todos. Por ejemplo, hoy íbamos a tener una reunión a las ocho para hablar de los gastos de infraestructura de la nueva sucursal y tuvimos que posponerla. Ahora ya (4) _____ para la reunión. Como puedes imaginar, a las diez de la mañana todo el mundo está haciendo sus cosas en sus ordenadores y no se les puede molestar.

ANDRÉS: Entiendo los problemas. Trataré de no (5) _____ otra vez.

JEFE: Espero que sea así. De lo contrario…

10-4 Una telefonista. Sofía trabaja contestando el teléfono en una empresa de productos congelados. Esta mañana se recibieron cuatro llamadas de teléfono entre las 8 y las 9. Completa las llamadas telefónicas con las expresiones necesarias.

Con… , por favor.	El/La Sr./a… no se encuentra aquí en este momento.
Quisiera hablar con…	En un momento se pone.
¿Podría hablar con…?	Llame más tarde.
¿Podría ponerme / darme con la extensión…?	No cuelgue.
¿Puedo hablar con…?	Podría decirle que…
	Un momento, por favor.

Ya le doy con él/ ella.

Ya le pongo con él /ella.

¿A qué número llama?

¿De parte de quién?

¿Le puede dar usted un mensaje a…?

¿Podría dejarle un recado?

¿Puede usted llamar más tarde?

¿Quiere dejarle algún recado / mensaje?

Llamaré en otro momento.

Ya le volveré a llamar.

Pase buenos día.

Primera llamada

MUJER: ¿(1) _____ con el Sr. Aldea?

SOFIA: El Sr. Aldea (2) _____ en este momento.

¿ (3) _____ un mensaje?

MUJER: No, ya le (4) _____ .

Segunda llamada

MUJER: (5) _____ el Sr. Martínez, (6) _____ .

SOFIA: Llame (7) _____ .

MUJER: ¿Podría (8) _____?

SOFIA: Por supuesto.

MUJER: Soy Alicia Pedraza, su médica. Por favor, dígale que me llame a mi teléfono móvil lo antes posible.

Tercera llamada

HOMBRE: Quisiera (9) _____ el Sr. Soler.

SOFIA: De (10) _____ quién?

HOMBRE: Soy su hijo José.

Cuarta llamada

HOMBRE: ¿Podría (11) _____ 6203?

SOFIA: Un (12) _____ , _____ .

II. Gramática

Referencia gramatical 1

10-5 Opiniones. Andrés y sus amigos están hablando del tema de la economía y la globalización. Andrés es bastante exagerado y usa muchos superlativos. Escríbelos todos siguiendo los modelos dados a continuación. Haz los cambios necesarios.

> **Modelos:** globalización / ser / fenómeno / característico / este siglo
> *La globalización es el fenómeno más característico de este siglo.*
> nuestros bancos / ser / pequeño / continente
> *Nuestros bancos son los menores del continente.*

1. desempleo / ser / problema / serio / país

   _____

2. número de desempleados / ser / alto / últimos años

   _____

3. nuestro país/ ser / proteccionista / continente

   _____

4. nuestro país / tener / sistema de comunicaciones / anticuado / región

   _____

5. este presupuesto / ser / bajo / últimas décadas

   _____

6. nuestros trabajadores / recibir / salarios / malos / países vecinos

   _____

10-6 Continúa la conversación. Andrés y sus amigos siguen hablando. Celia está dando su opinión y Andrés está de acuerdo con ella. Escribe las reacciones de Andrés siguiendo el modelo. Usa el superlativo absoluto.

> **Modelo:** Los trabajadores ganan muy poco.
>
> *Sí, ganan poquísimo.*

CELIA: Algunas personas son muy ricas.

ANDRÉS: 1. _____

CELIA: Los ricos y los políticos son muy amigos.

ANDRÉS: 2. _____

CELIA: La situación económica es muy difícil.

ANDRÉS: 3. _____

CELIA: La deuda externa es muy grande.

ANDRÉS: 4. _____

CELIA: El salario mínimo es muy bajo.

ANDRÉS: 5. _____

Referencia gramatical 2

10-7 El trabajo en la bolsa. Antonia trabaja en la bolsa y tiene muchas historias interesantes. Completa el párrafo con el artículo indefinido donde sea necesario.

(1) _____ día, entra este cliente que quiere invertir (2) _____ cien mil dólares en la bolsa, pero quiere (3) _____ seguridad absoluta que no va a perder (4) _____ centavo de su capital. Por supuesto que no puedo asegurarle nada. Le explico que en el mercado puede haber (5) _____ aumento o (6) _____ baja inesperada, pero que por lo general, si invierte a largo plazo, hay (7) _____ ganancias alrededor del 10% o más. Este hombre, habla con (8) _____ acento muy difícil de entender y pensé que era (9) _____ turco o de algún país del medio oriente. El señor me dice que tiene (10) _____ cierta enfermedad y que va a morirse en (11) _____ pocos meses y que esta inversión es el futuro de su familia. ¡Imagínate tú el peso que pone en mis hombros! De lo que yo haga depende el bienestar de esta familia. Entonces decidí que era (12) _____ cliente para mi jefe y no para mí.

Conexiones

10-8 Una situación difícil. La presidenta y varios políticos de un país con problemas económicos están hablando sobre la situación tan terrible del país. Completa la información con el pretérito perfecto del verbo entre paréntesis.

1. Nosotros no _____ (resolver) el problema del desempleo.

2. La pobreza _____ (aumentar) en las áreas rurales.

3. Los recursos minerales _____ (agotarse).

4. La deuda externa no _____ (disminuir).

5. Yo no _____ (poder) conseguir préstamos de otros países.

6. Nosotros _____ (perder) algunos mercados. Debemos recuperarlos.

10-9 Reflexiones. Rafael y sus amigos están haciendo una reflexión sobre algunos avances científicos y tecnológicos de la humanidad y de lo que todavía falta por hacer. Completa sus reflexiones con el pretérito perfecto del verbo entre paréntesis.

1. Los científicos todavía no _____ (descubrir) una cura para el cáncer, pero _____ (decir) que pronto la habrá.

2. La humanidad _____ (ver) las increíbles imágenes del planeta Marte mandadas por el Pathfinder.

3. Aún no se _____ (poner) paneles solares en todos los edificios de zonas donde podría aprovecharse la energía del sol.

4. Internet _____ (hacer) más fácil el acceso rápido de la gente a mucha información. Esto tiene sus ventajas y sus peligros.

5. Algunas personas _____ (escribir) manifiestos contra el uso indiscriminado de la tecnología.

6. Algunas personas _____ (morir) en accidentes de centrales nucleares y plantas químicas.

7. Nosotros no _____ (resolver) los problemas de desigualdad entre las naciones del mundo.

8. Algunos bloques económicos y políticos se _____ (romper) pero se han creado otros.

9. Ningún país _____ (volver) a lanzar ninguna bomba atómica sobre ninguna ciudad desde la Segunda Guerra Mundial.

10-10 Obsesionada con la computadora. Manuela trabaja como programadora y, además, le gustan muchísimo las computadoras. Estas son las cosas que hará la semana que viene. Vuelve a escribir la información explicando las cosas que todavía no ha hecho esta semana. Sigue el modelo y usa el pretérito perfecto.

Modelo: La próxima semana Manuela escribirá un mensaje electrónico para su hermana.

Esta semana Manuela todavía no ha escrito un mensaje electrónico para su hermana.

1. Comprará un teléfono celular y unos libros por la computadora.

   Esta semana _____

2. Leerá el periódico en Internet.

   Esta semana _____

3. Verá las fotos de sus sobrinos en la computadora.

   Esta semana _____

4. Hará un programa de ordenador nuevo para su jefe.

   Esta semana _____

10-11 Objetos relacionados. Todo evoluciona. Francisco encontró en un almanaque información sobre algunos de los cambios y progresos que se han producido en el campo de la ciencia y la tecnología. Para describir la información que encontró Francisco, usa el pretérito y el pluscuamperfecto de acuerdo al modelo.

Modelo: (la gente – viajar) en trenes de alta velocidad / en trenes eléctricos

Cuando la gente empezó a viajar en trenes de alta velocidad, ya había viajado en trenes eléctricos.

1. (los astronautas – ir al espacio) en el transbordador espacial / en cohetes

   Cuando los astronautas empezaron a _____

   _____

2. (nosotros – trabajar) con computadoras / con máquinas de escribir

   _____

   _____

3. (hacerse) barco de acero / barcos de madera

   _____

   _____

4. (mi abuelo – escribir) con bolígrafo / con pluma

   _____

   _____

5. (médicos – usar) vacuna contra la polio / vacuna contra el cólera

   _____

   _____

6. (yo – comprar) discos compactos / discos de vinilo

   _____

   _____

Nombre: _____   Fecha: _____

10-12 **Un gran inventor.** Ayer viste en la televisión una biografía sobre Thomas Edison (1847–1931).
En el programa se dieron los siguientes datos biográficos sobre él. Establece relaciones entre ellos
usando el pluscuamperfecto y la estructura que se da en el modelo.

Modelo: 1859 Edison vende periódicos en los trenes.

1868 Edison consigue su primera patente.

Edison había vendido periódicos antes de conseguir su primera patente.

1869 Edison inventa la "teleimpresora".
1871 Edison se casa con Mary Stilwell.

1. _____

1874 Edison inventa el telégrafo cuadruple.
1875 Edison descubre la fuerza "etérica"

2. _____

1876 Edison abre en Nueva Jersey el primer laboratorio dedicado a la investigación industrial.
1877 Edison inventa el fonógrafo.

3. _____

1879 Edison hace público el invento de la lámpara incandescente.
1882 Edison abre la primera central eléctrica en Londres.

4. _____

1889 Edison empieza a diseñar el "kinetógrafo" y el "kinetoscopio".
1891 Edison perfecciona su cámara cinematográfica.

5. _____

10-13 Un buen médico. Julián Martínez es un médico amigo de tu familia. Explícale a tu amiga, que está en el hospital, quién es este hombre. Escribe oraciones completas con los pronombres relativos **que** o **quien**.

> **Modelo:** el hombre es una gran persona / conociste al hombre en el hospital
> *El hombre a quien (que) conociste en el hospital es una gran persona.*

1. el hombre se llama Julián / te voy a hablar de él

   _____

2. Julián es un médico amigo de mis padres / admiro mucho a Julián

   _____

3. Julián ha realizado un estudio sobre el cáncer / el estudio ha causado mucha expectativa

   _____

4. el hospital está cerca de la universidad / Julián realizó su estudio en el hospital

   _____

5. Julián hablará de su estudio en la televisión / Julián ha dedicado toda su vida a la medicina

   _____

10-14 Reflexiones. Germán está reflexionando sobre lo dependientes que somos de las máquinas. Completa sus reflexiones con los relativos **quien**, **que** y **cual**. Añade el artículo donde sea necesario.

Lo (1) _____ más me preocupa de la tecnología es que nos ha hecho muy dependientes de las máquinas y si, por ejemplo, se nos rompe la calculadora con (2) _____ _____ calculamos el dinero que nos hemos gastado en la semana, nos cuesta mucho hacer la suma simplemente anotando los números en un papel. El mundo en (3) _____ _____ vivimos está muy lejos de (4) _____ _____ nuestros abuelos conocieron. Mi abuelo, de (5) _____ he aprendido mucho, tenía una tienda y calculaba de memoria lo (6) _____ la gente le debía y nunca se equivocaba. La abuela con (7) _____ yo me crié lo hacía casi todo a mano y se sorprendería mucho si viera todos los aparatos (8) _____ se acumulan ahora en los armarios y cajones de nuestras cocinas. Y para colmo mis cenas, al lado de (9) _____ _____ hacía ella, son un desastre, a pesar del procesador, el microondas, la tostadora, la cafetera, el molinillo y la batidora.

10-15 Los tres hermanos. José, Pilar y Teresa son tres hermanos que trabajan en campos muy diferentes. Escribe los párrafos correspondientes a los tres uniendo los pares de oraciones con un pronombre relativo.

> **Modelo:** José Ramírez es el bioquímico. El trabajo de José ayudó a desarrollar nuevas vacunas para el SIDA.
>
> *José Ramírez es el bioquímico cuyo trabajo ayudó a desarrollar nuevas vacunas para el SIDA.*

1. José trabaja en un laboratorio. El laboratorio está en un hospital famoso.

   _____

2. Allí trabajan también algunos científicos. Han hablado de estos científicos en un programa de radio sobre salud.

   _____

3. Pilar Ramírez estudió en una universidad pequeña. Esta universidad es conocida por su departamento de informática.

   Pilar Ramírez _____

4. Antes trabajaba en una empresa. Desarrollaba programas informáticos en esta empresa.

   _____

5. Ahora trabaja en otra empresa. La especialidad de la empresa es la producción de programas en español.

   _____

6. Teresa Ramírez es la hermana de Pilar y José. Teresa se dedica a la política.

   Teresa Ramírez _____

7. Teresa estudió economía. Esto le permitió encontrar trabajo en el Ministerio de Hacienda (Treasury).

   _____

8. Teresa está preocupada por el alza de los tipos de interés. Las consecuencias del alza pueden ser desastrosas para la economía.

   _____

10-16 Un astronauta español. En este artículo del periódico *El Mundo* del 29 de octubre de 1998, se habla de la misión espacial en la que participó el astronauta español Pedro Duque. Léelo y completa la información sobre él y sobre esta misión.

■ El *Discovery*, en el espacio

Si algo falla, el madrileño Pedro Duque será el encargado de recuperar manualmente el satélite Spartan.

ANA CARUSO, enviada especial

CABO CAÑAVERAL - La misión STS-95 del *Discovery*, organizada por NASA, llevará a John Glenn y a Pedro Duque a la estratósfera para realizar ciertos experimentos espaciales que servirán de data para la próxima estación espacial internacional. La razón por la cual el transbordador espacial sale otra vez del Centro Espacial Kennedy es para realizar experimentos científicos dentro del mismo.

Los experimentos más importantes se llevarán a cabo en el módulo *Spacehab*, un cilindro presurizado situado en la parte de atrás del *Discovery*. Los astronautas pueden acceder al *Spacehab* desde la cabina de mandos por un túnel de descompresión.

Una vez en órbita, Pedro Duque y la doctora Chiaki Mukai trabajarán juntos en este laboratorio. El astronauta español también tiene que controlar 19 ordenadores portátiles que vigilan los sistemas del transbordador y el correcto funcionamiento de los experimentos.

Con John Glenn se estudiará la reacción del cuerpo humano en el espacio. Se prestará especial atención a la degeneración de su masa ósea, las perturbaciones del sueño, las disfunciones cardiovasculares y se analizará el deterioro del cuerpo humano por la ingravidez del espacio. Glenn y la doctora japonesa Chiaki Mukai usarán eletrodos para registrar sus ondas cerebrales durante el sueño. El senador estadounidense tomará además una píldora con un pequeño termómetro y un transmisor para controlar su temperatura. También Glenn y Duque se inyectarán proteínas y tomarán píldoras para comprobar el proceso que sufren los músculos.

Uno de los momentos claves dentro de la misión será el lanzamiento del satélite Spartan. Éste se separará del transbordador para realizar observaciones de la corona solar. Dos días después recogerán el *Spartan* por medio de un brazo robótico.

En noviembre de 1997, este mismo experimento tuvo una serie de problemas que impidieron devolverlo mecánicamente al interior de la nave. Un astronauta tuvo que salir al exterior para capturarlo. Si algo va mal esta vez, Pedro Duque será el encargado de salir a buscar *Spartan* y ponerlo nuevamente en la bodega de carga.

1. Nombre y nacionalidades de otros dos astronautas de la misión además de Pedro Duque:

2. ¿En qué sección del transbordador espacial pasó Duque mucho tiempo?

3. ¿De qué se ocupó Duque en la misión?

4. ¿Qué hicieron Glenn y Pedro Duque?

5. ¿Qué tendría que hacer Pedro Duque si fallara el satélite Spartan?

10-17 Madrid. Como indica el artículo de *El Mundo*, Pedro Duque es de Madrid. Imagínate que vas a visitar la capital española. Usa un mapa de Madrid, una guía turística, un libro y la información existente en Internet para elegir la respuesta correcta.

1. Los mejores cuadros de Goya y Velázquez están:

a) en el Museo Thyssen-Bornemisza

b) en el Centro de Arte Reina Sofía

c) en el Museo del Prado

2. La Plaza Mayor está al lado de:

a) la Puerta del Sol

b) la Moncloa

c) el Retiro

3. Muchas de las películas de este director de cine tienen lugar en Madrid:

a) Pedro Almodóvar

b) Luis Buñuel

c) Adolfo Aristaráin

4. Nació en Madrid:

a) Pío Baroja

b) Montserrat Caballé

c) Lope de Vega

5. La mayor universidad de Madrid es:

a) la Universidad Autónoma

b) la Universidad Complutense

c) la Universidad Carlos III

6. El nombre "Madrid" es de origen:

a) latino

b) árabe

c) francés

7. Un monumento famoso de Madrid es:

a) la Alhambra

b) la Giralda

c) el Palacio Real

8. Un equipo famoso de fútbol de Madrid es:

a) el Real Madrid

b) el Caja Madrid

c) el Viva Madrid

9. La mayor biblioteca de Madrid es:

a) la Biblioteca del Ateneo

b) la Biblioteca Nacional

c) la Biblioteca del Consejo Superior de Investigaciones Científicas

IV. Ampliación.

10-18 Reparar un telescopio en el espacio. Pedro Duque escribió en el periódico *El País* del 10 de noviembre de 1999 el artículo siguiente. Léelo y después indica si las siguientes ideas son ciertas (**C**) o falsas (**F**) de acuerdo con el artículo.

■ Reparar un telescopio en el espacio

Un grupo de astronautas irá al espacio para trabajar durante unos días en el mantenimiento del telescopio espacial (el famoso Hubble). Para muchos, esto puede parecer como una gran aventura; o se puede especular que reparar un telescopio no puede ser muy difícil. … Nada más lejos de la realidad. Es difícil imaginar todos los factores que entran en juego para llevar a cabo esta operación.

Todo comienza cuando se diseña (design) el telescopio. Los aparatos diseñados para uso en la tierra, están pensados de tal manera que se puedan reparar. Por ejemplo, las cajas internas han de ser más pequeñas que las puertas por las que han de salir, con un margen para meter la mano. Para un aparato como el Hubble, los ingenieros tienen que pensar mucho más allá de las formas simples, por ejemplo: absolutamente todo ha de diseñarse para poderlo manejar con guantes gruesos y poco flexibles (los del traje espacial).

Después, el viaje en sí debe ser cuidadosamente planeado. El peso que puede llevar la nave es muy limitado; hay que saber exactamente cómo va a emplearse cada pieza que se lleve.

También hay que prever absolutamente todo lo que se pueda necesitar.

Otro factor importantísimo es el tiempo. Cada minuto tiene que ser contado ya que no se puede extender el tiempo del viaje más de un día o dos. Los objetivos de cada día deben ser exactamente cumplidos. Eso implica que todas las operaciones tienen que ser ensayadas a conciencia (para eso se utiliza la piscina en Houston), una y otra vez, hasta el punto de tenerlo todo perfectamente cronometrado. Es necesario tener la certeza de que todas las reparaciones puedan llevarse a cabo en el tiempo establecido, dejando algunos márgenes para pequeños fallos.

En resumen, la reparación del telescopio espacial no es algo simple. Están los cientos de ingenieros y técnicos que diseñaron el telescopio, prepararon las piezas de recambio, cargaron el transbordador con las piezas y herramientas adecuadas, y prepararon a los astronautas: a todos ellos, y por supuesto también a mis compañeros de la tripulación: ¡mucha suerte!

1. Muchas personas piensan que reparar un telescopio en el espacio es dificilísimo, pero es muy fácil. _____

2. Cuando los ingenieros diseñan sus aparatos, siempre piensan en cómo repararlos si se rompen. _____

3. En el caso del telescopio *Hubble* los ingenieros tuvieron que pensar en cómo repararlo en condiciones especiales. _____

4. En el viaje, los astronautas cargarán muchas piezas de repuesto porque nada pesa en el espacio. _____

5. Los astronautas tendrán un tiempo preciso para realizar cada una de las operaciones de reparación. _____

6. Para practicar las operaciones de reparación, se pone el telescopio en la piscina de Houston. _____

10-19 Nuevos inventos. En Montevideo, Uruguay hubo una feria en la que se presentaron varios inventos para viajar de un país a otro.

Transbordador instantáneo

Descripción:
Permite viajar de un país a otro en segundos.
La persona entra en una cápsula en un aeropuerto, desaparece y reaparece en otra cápsula de otro aeropuerto.

Riesgos: solamente funciona en el 50% de los casos. No puede transportar equipaje.

Precio: el viaje cuesta veinte mil dólares por persona.

País virtual

Descripción:
Permite viajar de un país a otro en segundos y no necesita moverse de su casa.
Usted se pone unas gafas, pulsa el botón de su ordenador y se encuentra delante de sus ojos con el país que desea conocer. Puede seleccionar ciudades a las que ir de excursión, ver cuadros en los museos que desee y comprar cerámica y alimentos típicos del país que llegarán a su casa en 24 horas.

Riesgos: Ninguno.

Precio: Veinte dólares por conexión (las compras personales no están incluidas)

Coche avión

Descripción:
Es un coche volador.
Usted puede viajar desde la puerta de su casa al país de destino sin cambiar de vehículo.
Riesgos: Plantea problemas para cruzar los océanos porque, cuando vuela, hay que llenar el tanque cada tres horas.
Precio: Cien mil dólares. 5 años de garantía.

Ahora imagina que tú trabajas en una empresa que va a construir uno de los tres objetos. Escribe un informe para la empresa explicando cuál es el invento que te parece mejor de los tres. Sigue el siguiente formato.

Introducción: di cuál es, en tu opinión, el mejor invento de los tres.

Desarrollo: compara las ventajas y desventajas de los tres inventos.

Conclusión: explica cómo se beneficiaría la empresa si decidiera construir ese objeto.

_____

_____

_____

_____

_____

_____

_____

_____

_____

_____

_____

_____

_____

_____

_____

_____

_____

10-20 Opiniones muy diferentes. Los tres hermanos del ejercicio 10-15 tienen opiniones muy diferentes sobre la tecnología. Lee lo que piensan los tres y escribe un párrafo explicando con quién estás de acuerdo y por qué lo estás. Da ejemplos para apoyar tus ideas.

Pilar Ramírez

A mí me parece que la tecnología tiene muchos aspectos negativos. Nos ha hecho más individualistas y distantes. Mucha de la gente que conozco trabaja en el ordenador de su casa y se pasa días enteros sin hablar con nadie. Las relaciones humanas se reducen al intercambio de mensajes de ordenador a ordenador, lo cual no es verdadera comunicación. Si seguimos así, vamos a acabar convirtiéndonos en robots.

Teresa Ramírez.

A mí me parece que la tecnología tiene su lado positivo y su lado negativo. Nos va a ayudar a superar muchos problemas económicos del mundo. Gracias a ella hemos podido producir más alimentos y de mejor calidad. Además, con el progreso de las comunicaciones, la gente y los productos viajan de un país a otro en un tiempo récord. Por desgracia, uno de los puntos negativos de la tecnología es que hace más ricos a los ricos y más pobres a los pobres.

José Ramírez

Si no fuera por los progresos tecnológicos, el laboratorio en el que trabajo no podría producir medicamentos con la velocidad que los produce. Nosotros dependemos totalmente de los microscopios y de otras máquinas para realizar nuestros experimentos y sin ellos estaríamos perdidos. La tecnología realmente supone una mejora en nuestras vidas y es totalmente positiva para el progreso de la humanidad.

_____

_____

_____

_____

_____

_____

_____

_____

_____

_____

11 Capítulo once
Música, cine y televisión

I. Vocabulario

11-1 ¿Cuál es la palabra? En la revista *Escenario* hay un juego para ver si eres de verdad un aficionado a los espectáculos y medios de difusión. Da el sustantivo que corresponde a cada una de las definiciones siguientes.

intermedio	autógrafo	escena	noticiario	estreno	televidente
butacas		protagonista	gira	temporada	

1. Período del año en que hay obras de teatro en todos los teatros _____

2. Programa de noticias _____

3. Persona que ve la televisión _____

4. Firma de un artista famoso _____

5. Parte corta de una obra de teatro en la que están presentes los mismos personajes _____

6. Asientos de un teatro _____

7. Descanso entre las dos partes (o actos) de una obra de teatro _____

8. Primera función de una obra de teatro o primer pase de una película _____

9. Personaje principal _____

10. Serie de viajes que hace un grupo de teatro o cantante en un período corto _____

11-2 Una reseña. Marta escribe reseñas para la sección de espectáculos del periódico de la universidad. A continuación tienes dos párrafos de la reseña. Complétalos conjugando el verbo apropiado. Atención al tiempo verbal presente o pasado.

acercarse	actuar	apagarse	dirigir	encenderse	ensayar
	entregar	interpretar	valer		

Ayer fui al estreno del *Caballero de Olmedo* en el teatro María Guerrero. La obra la

(1) _____ Luis Blat y en ella (2) _____ José Sacristán y

Ana Belén. Ana Belén (3) _____ el papel de doña Inés y José Sacristán el de

don Alonso. Es obvio que los actores (4) _____ mucho en los meses previos.

Especialmente la actriz que hacía de Fabia estuvo fabulosa. Seguramente que mucha gente

(5) _____ a su camarín a pedirle un autógrafo y le (6) _____

flores después de la función. Cuando (7) _____ las luces del teatro y

(8) _____ las luces del escenario me quedé maravillada del decorado tan

espectacular y original. Creo que (9) _____ la pena ir a ver esta obra de

teatro clásico.

11-3 "Semana cultural." Emilio trabaja para el programa de radio "Semana cultural". Ayer entrevistó a una directora de cine. Aquí tienes un fragmento de la entrevista. Complétalo con las siguientes palabras:

actual	actualidad	actualmente	cine	de hecho	película

EMILIO: ¿Qué estás haciendo (1) _____?

DIRECTORA: Estoy acabando una (2) _____ que se llama "Retiro".

EMILIO: ¿Y cuándo va a ser el estreno?

DIRECTORA: A finales del mes que viene, espero; (3) _____ estamos ya en los
últimos detalles.

EMILIO: ¿Qué piensas de la situación (4) _____ del
(5) _____ en nuestro país?

DIRECTORA: Creo que en la (6) _____ estamos atravesando un momento de
gran creatividad. Hay muchos directores, actores y actrices nuevos que tienen
muchas ganas de trabajar y de hacer bien su trabajo. Esto es algo muy positivo para
la industria cinematográfica.

11-4 Comentarios de los amigos. A Rosa y a Javier les gusta mucho ver vídeos e ir al cine, y siempre piensan lo mismo sobre las películas que ven. A continuación tienes parte de sus diálogos después de haber visto varias películas. Complétalos con expresiones apropiadas para hacer comentarios sobre cine.

Modelo: Esta película es buenísima.

Sí, es una obra maestra.

Película 1

ROSA: Esta película es una obra maestra.

JAVIER: Lleva tres meses en los cines, ¿no?

ROSA: Sí, está en (1) _____ desde hace dos meses.

JAVIER: Además la ha ido a ver muchísima gente.

ROSA: Sí, bate récords (2) _____.

Película 2

ROSA: Me encanta cómo actúan los actores.

JAVIER: Sí, la actuación es (3) _____.

ROSA: Y la historia podría ocurrirle a cualquiera de nosotros.

JAVIER: Sí, la película refleja muy bien (4) _____.

ROSA: Lo que más me gusta es cómo termina. No pude evitar el echarme a llorar.

JAVIER: Yo también me puse a llorar. Esta película sí que tiene un final (5) _____.

Película 3

ROSA: ¡Qué lata de película!

JAVIER: Sí, esta película es un (6) _____.

ROSA: Además le falta algo de acción.

JAVIER: Sí, es un (7) _____. Creo que me quedé dormido en la butaca en algún momento.

ROSA: La cosa es que los críticos no han dicho nada malo de ella.

JAVIER: Sí, ha recibido (8) _____. ¡Qué increíble!

II. Gramática

Referencia gramatical 1

11-5 La privatización de la tele. Julio les está explicando a sus amigos cómo ha cambiado la televisión de su país. Vuelve a escribir la información de Julio usando la voz pasiva.

Modelo: Todos los ciudadanos veían los noticiarios del canal 3.
Los noticiarios del canal 3 eran vistos por todos los ciudadanos.

1. En 1985 el gobierno subvencionaba el canal 3.

   _____

2. Alberto González dirigía los noticiarios de televisión.

   _____

3. Marisa Echevarría presentaba las noticias de las siete.

   _____

4. En 1995 una empresa italiana compró este canal.

   _____

5. En la actualidad la empresa privada paga todos los programas.

   _____

6. El nuevo director ha cancelado el noticiario de las siete.

   _____

7. Los televidentes no han recibido bien estos cambios.

   _____

Referencia gramatical 2

11-6 ¿Qué va a ser de nosotros? Juan está preocupado por la influencia negativa de la televisión en nuestra vida diaria. Expresa sus ideas usando la voz pasiva con **se**.

Modelo: Vemos mucha televisión y de mala calidad.

Se ve mucha televisión y de mala calidad.

1. Consumimos programas que tienen mucha violencia.

   _____

2. Compramos solamente los productos que anuncian en la tele.

   _____

3. No leemos tanto como antes.

   _____

4. No pasamos tanto tiempo jugando con los niños.

   _____

5. Usamos la televisión para que los niños estén callados.

   _____

6. No hacemos deporte porque no tenemos fuerza de voluntad para apagar la tele.

   _____

Conexiones

11-7 Chismes *(Gossip).* Un grupo de gente está hablando sobre un amigo músico que dio un concierto la semana pasada. Escribe las reacciones de los amigos usando el pretérito perfecto del subjuntivo en la oración subordinada y haciendo los cambios necesarios.

Modelo: yo / no creer / Juan / tener mucho éxito

Yo no creo que Juan haya tenido mucho éxito.

1. yo / alegrarse / Juan / dar un concierto de rock

   _____

2. Elena y yo / dudar / los organizadores del concierto / pagarle mucho

   _____

3. ¿ustedes / creer / ir / mucha gente al concierto?

   _____

4. Marcos, ¿no / sorprenderse / Juan / no decirnos nada?

   _____

5. a mí / molestar / Juan / no invitarnos al concierto

_____

6. ser posible / Juan / estar muy ocupado con los ensayos

_____

7. ¡Ojalá / Juan / no olvidarse de nosotros!

_____

11-8 Planes para el sábado. Manuela y Armando generalmente no salen de casa porque tienen dos niños pequeños, pero el próximo sábado van a ir al teatro. Une la información de las dos columnas para ver cuáles son sus planes y conjuga los verbos de la columna de la derecha en el pretérito perfecto del subjuntivo para indicar que la acción ocurre antes que la de la oración principal. Haz los cambios necesarios.

Modelo: nosotros cenaremos después de preparar la comida a los niños

Nosotros cenaremos después de que le hayamos preparado la comida a los niños.

1. iremos al teatro   antes de pasar el último autobús
2. necesitamos encontrar una niñera   aunque no dormir mucho la noche anterior
3. no conozco a nadie   cuando bañar a los niños
4. esa noche me acercaré al camarín de la   que estar ya antes con los niños en
   protagonista   nuestra casa
5. a continuación tú y yo iremos a una discoteca   después de terminar la obra de teatro
6. volveremos a casa   que ir al estreno de la obra de teatro

1. _____

2. _____

3. _____

4. _____

5. _____

6. _____

11-9 Un grupo musical. Lola y Paco tocan en un grupo musical. Completa el diálogo entre los dos amigos con el presente o el pretérito perfecto del subjuntivo del verbo entre paréntesis, de acuerdo con el contexto.

LOLA: Quiero que tú me (1) _____ (dejar) el último disco de Ketama.

PACO: Me sorprende que tú no lo (2) _____ (escuchar) todavía. Se oye en todas las emisoras.

LOLA: Es que yo no pongo nunca la radio y además, he estado muy ocupada.

PACO: Bueno, me alegro de que ya (3) _____ (terminar - tú) con los exámenes finales. Quizá ahora (4) _____ (tener) más tiempo para ensayar con el grupo. Te necesitamos, Lola. Hemos estado tocando en los bares del centro y es probable que nos (5) _____ (contratar - ellos) para tocar el próximo verano todos los fines de semana.

LOLA: Eso está muy bien, Paco.

PACO: ¡Espero que no (6) _____ (hacer - tú) ya otros planes para el verano, porque vamos a estar muy ocupados!

11-10 Un comienzo difícil. Pedro es un director de cine bastante bueno. Aquí hay algunos datos sobre los primeros tiempos de su carrera en el cine. Completa los espacios en blanco con el tiempo correspondiente de los verbos entre paréntesis.

Modelo: Pedro <u>quería</u> (querer) filmar una película sobre un tema que nadie <u>hubiera tratado</u> (tratar) antes.

En 1990…

Sus amigos no (1) _____ (creer) que él (2) _____ (dirigir) ya algunos documentales.

En la televisión le (3) _____ (decir) que (4) _____ (ir) a entrevistarlo después de que (5) _____ (terminar) su primera película.

Al terminar su primera película a todos les (6) _____ (sorprender) que Pedro (7) _____ (hacer) algo tan original.

En su primera película no (8) _____ (haber) ningún actor que (9) _____ (actuar) antes en otra película.

Pedro (10) _____ (alegrarse) de que a todos les (11) _____ (gustar) su película.

Sin embargo, sus padres no (12) _____ (estar) contentos de que su hijo (13) _____ (dejar) sus estudios universitarios por el cine.

11-11 Dos hermanos muy diferentes. Gabriel y Francisco eran actores pero después abandonaron la profesión por diferentes razones. Gabriel era optimista y Francisco era muy pesimista. Completa las ideas de Francisco usando el verbo entre paréntesis y el pluscuamperfecto de subjuntivo en la oración subordinada.

Modelo: GABRIEL: Creía que se le había terminado su inspiración artística.

FRANCISCO: (no creer) *No creía que se le hubiera terminado su inspiración artística.*

GABRIEL: Creía que la crítica había elogiado su actuación en su última película.

FRANCISCO: (No creer) (1) _____

GABRIEL: Era verdad que había actuado ya en algunas obras de teatro de éxito.

FRANCISCO: (No ser cierto) (2) _____

GABRIEL: Estaba seguro de que había hecho una buena actuación en su última película.

FRANCISCO: (Dudar) (3) _____

GABRIEL: Conocía a alguien que había visto todas sus películas.

FRANCISCO: (No conocer a nadie) (4) _____

GABRIEL: Pensaba que su madre había sido la causa de su dedicación al cine y al teatro.

FRANCISCO: (Lamentar) (5) _____

11-12 Los escarabajos. Tu hermano y otros tres amigos formaron un grupo musical en 1995, pero al final se separaron. A continuación hay algunas reacciones de las familias de todos en 1995. Complétalas usando el imperfecto o el pluscuamperfecto de subjuntivo de acuerdo con el contexto.

Mi madre esperaba que mi hermano (1) _____ (hacerse) famoso algún día

pero lamentaba que no (2) _____ (decidirse) todavía a componer canciones

con una música más pegajosa.

La hermana de Juan quería ir a verlos cuando (3) _____ (grabar) su primer

disco y Juan la iba a invitar a la grabación con tal de que no (4) _____

(ponerse) a discutir con todo el mundo.

Jorge había estudiado música en el conservatorio y su padre sentía mucho que su hijo no

(5) _____ (dedicarse) a los negocios; por eso, a finales de 1995, se alegró de

que "Los escarabajos" todavía no (6) _____ (grabar) ningún disco y dudaba

que lo (7) _____ (grabar) en 1996.

La hermana de Pablo prefería que "Los escarabajos" (8) _____ (componer)

temas de rock más clásicos en el futuro. No conocía a nadie que (9) _____

(triunfar) antes con el tipo de canciones que ellos tocaban.

Cuando mi abuela veía a mi hermano, le gritaba como si (10) _____ (estar)

loca. Le horrorizaban su pelo de colores y su ropa negra. Mi abuelo, sin embargo, reaccionaba

como si lo (11) _____ (ver) así toda la vida y de vez en cuando, bromeaba

con él diciéndole que un día quería conocer a su peluquero.

11-13 Sueños. Patricia quiere dedicarse a la ópera. Explícale a otra persona lo que te dijo Patricia. Cambia los tiempos de los verbos de acuerdo con el contexto.

"Quiero que un día la gente sepa quién soy y reconozca mi talento. Espero que en el futuro me den un papel importante en una ópera famosa. Me alegro de que el profesor de la escuela me haya dado el papel de Raquel en la zarzuela *El huésped del sevillano*. Me encanta que haya tantos estudiantes interesados en la ópera y la música clásica. Es posible que organicemos aquí un concurso para jóvenes artistas."

Modelo: Patricia me dijo que quería que un día la gente reconociera su talento.

1. Patricia me dijo que esperaba _____

   _____.

2. Patricia me confesó que se alegraba _____

   _____.

3. Patricia me explicó que le encantaba _____

   _____.

4. Patricia me comentó que era posible _____

   _____.

11-14 Dramaturga. Tu amiga Altagracia escribe obras de teatro. A continuación tienes fragmentos de varias escenas de tres obras diferentes. Completa los espacios en blanco con el tiempo correspondiente del subjuntivo, de acuerdo con el contexto.

A. Escena de *Estado de sitio*: Mariana llama al doctor para que atienda al anciano enfermo.

MARIANA: Me llamaron para que (1) _____ (cuidar) del anciano esa tarde,
            pero empezó a subirle la fiebre y me asusté; por eso le avisé a usted. No sabía que el
            pobre (2) _____ (estar) tan enfermo.

DOCTOR: Mariana, hizo bien en llamarme. Déjelo que (3) _____ (dormir)
            ahora. Cuando (4) _____ (despertarse), ya se le habrá bajado la
            fiebre. Llámeme otra vez cuando me (5) _____ (necesitar).

MARIANA: ¿Cuánto le debo?

DOCTOR: No se preocupe. Estos no son buenos tiempos para nadie. Ya me pagará

            cuando esta maldita guerra (6) _____ (acabarse).

B. Escena de *Las dudas y las sombras:* Arturo es un informante de policía dentro de un gobierno represivo.

ARTURO: Me han pedido que (1) _____ (escribir) un informe con el nombre de todos los miembros del partido de tu hermana. Espero que Blanca (2) _____ (salir) ya del país porque si no, la van a llevar a la cárcel.

ALICIA: Pero tú nunca la denunciarías, ¿verdad? Sería horrible que le (3) _____ (pasar) algo por tu culpa.

ARTURO: Alicia, tu hermana ha estado jugando con fuego. Habría sido mejor que (4) _____ (olvidarse) de la política hace ya muchos años. Estos no son momentos para los idealistas y los rebeldes.

ALICIA: Arturo, Blanca es todavía una niña. Claro, a ti no te habrá gustado que ella (5) _____ (criticar) en el pasado tus ideas políticas; pero tú no te puedes vengar ahora dando su nombre a la Junta.

C. Escena de *El terrible Salvador:* El profesor alienta a los padres de Salvador para que lo dejen ir a estudiar a la capital, pues el muchacho tiene mucho talento para la pintura.

PROFESOR: No creía que usted (1) _____ (tener) un hijo con tanto talento para el arte. No había visto a nadie de su edad que (2) _____ (pintar) de esa manera. Estarán ustedes muy orgullosos de que Salvador (3) _____ (ingresar) en esa escuela de arte.

MADRE: Pues sí. Para su padre y para mí ha sido una gran sorpresa que el niño (4) _____ (lograr) la beca para estudiar en Santiago. Mi esposo preferiría que no (5) _____ (marcharse) porque en casa necesitamos ayuda con el negocio, pero los dos sabemos que esto es lo mejor para Salvador.

Nombre: _____ Fecha: _____

III. Cultura

11-15 Chavela Vargas. A continuación tienes un artículo de 1999 sobre Chavela Vargas, que se publicó en el periódico costarricense *La Nación Digital*. Léelo y completa después la información sobre la cantante.

▪ Chavela Vargas

Chavela Vargas se caracteriza en el mundo de la música por su vestimenta de poncho rojo. Pero no sólo eso la hace famosa. Tiene más de 50 años en la música con una producción discográfica de aproximadamente 30 discos. Ha aparecido en escenarios famosos como el Olimpia de París, el Carnegie Hall y el Palacio de Bellas Artes de México.

Curiosamente, en Costa Rica, el país donde nació, no es muy conocida. A los diecisiete años dejó su tierra natal para radicarse en México. Allí fue parte de la escena artística de los años 50. En esa época paseaba con Agustín Lara o Juan Rulfo, o vivía con los pintores Diego Rivera y Frida Kahlo quienes eran sus amigos y la consideraron musa. Según ella, en este ámbito también cenaba grandes dosis de tequila. Ahora, a los 80 años se siente más mexicana que costarricense porque México la recibió con los brazos abiertos y supo apreciar su música.

El cineasta Pedro Almodóvar utiliza la voz de Chavela Vargas en sus películas y le tiene un inmenso respeto. Al punto que cuando tuvo que entregarle el Premio Latino de Honor, primero pidió silencio del público y luego besó el suelo del escenario del Pabellón de Deportes del Real Madrid en señal de admiración por esta mujer extraordinaria. España la ha nombrado "mujer excelentísima" del país. En 1999 fue galardonada con el Premio de Honor en la entrega de los Premios de la Música en España.

Hace dos años se retiró de los escenarios, pues tuvo miedo de perder su voz. "No quiero que me vayan a ver solamente por ser una viejita simpática", dice ella. Pero sigue activa con proyectos de grabar junto a Miguel Bosé, Joaquín Sabina, Ana Belén y Armando Manzanero. Al mismo tiempo está escribiendo una autobiografía musical.

1. A Chavela Vargas le gusta vestir con _____.

2. Es originaria de _____, pero a los diecisiete años se fue a vivir a _____.

3. En 1999 tenía _____ años.

4. Fue la musa de _____.

5. Se pueden escuchar sus canciones en las películas de _____.

6. Dejó de actuar en público porque _____.

7. Pedro Almodóvar le entregó en Madrid el _____.

8. Parece que su bebida favorita era _____.

9. Se siente mexicana porque _____.

11-16 México. Imagínate que vas a ir a México a entrevistar a Chavela Vargas, pero antes quieres averiguar algunos datos sobre el país. Busca en la biblioteca o en Internet la siguiente información.

<u>Datos geográficos:</u>

1. La principal cadena montañosa de México es _____.

2. Un volcán importante de México es el _____.

3. El estado de Chiapas está _____.

<u>Historia:</u>

4. La Ciudad de México está fundada sobre las ruinas de una ciudad azteca, la antigua
_____.

5. México obtuvo su independencia de España en el año _____.

<u>Literatura:</u>

6. El escritor mexicano Octavio Paz obtuvo el _____ en el año
_____.

7. La novela más famosa de Juan Rulfo es _____.

8. Una novela de Laura Esquivel que se llevó al cine en 1994 es _____.

IV. Ampliación

11-17 Cine. Mañana vas a alquilar en vídeo *Fresa y chocolate* porque estás escribiendo un informe sobre cine latinoamericano y alguien de tu familia te dejó la siguiente información de su estreno. Léela y di si las ideas que se dan a continuación son ciertas (C) o falsas (F).

Cine Imperial presenta un gran estreno el viernes, 29 de abril de 1994

Fresa y Chocolate

Ganadora del premio: Oso de plata y Premio Especial del Jurado. Berlín 1994
Ganadora del mejor guión: Festival de Cine Latinoamericano de La Habana, 1992.

Ficha técnica

Dirección	Tomás Gutiérrez Alea
	Juan C. Tabio
Guión	Senel Paz
Fotografía	Mario García Joya
Producción	Miguel Mendoza
Montaje	Miriam Talavera
Música	Jose Mª Vitier
Decorados	Fernando O'Reylly

Ficha artística

Diego	Jorge Perugorria
David	Vladimir Cruz
Nancy	Mirta Ibarra
Miguel	Francisco Gatorno
Germán	Joel Angelino

Sinópsis

Diego es un joven artista homosexual que se enamora de David, un joven militante comunista que no es homosexual. David sigue la doctrina y los esquemas comunista. Al principio, hay un rechazo total de los avances de Diego, pero también David tiene cierta curiosidad por este joven culto y diferente del mundo que él conoce. Así nace entre ellos una gran amistad y amor que triunfa sobre la intolerancia y la incomprensión.

El director cubano Tomás Alea es uno de los grandes cineastas del mundo hispano. Dirigió esta película junto con Juan Tabio en 1993. Alea ha hecho más de 15 cortometrajes, 12 documentales y 14 largometrajes de los cuales muchos han ganado premios internacionales. El escritor, Senel Paz, autor del guión de *Fresa y Chocolate* basó el argumento de la película en uno de sus cuentos, "El lobo, el bosque y el hombre nuevo". Este cuento había ganado el premio más importante que puede obtenerse en la lengua castellana: el Premio Internacional Juan Rulfo. Este cuento también ha tenido interpretaciones teatrales en Cuba y México.

1. La película fue dirigida por un director español. _____

2. De acuerdo con el argumento:

   a) El protagonista se enamora de un joven comunista. _____

   b) Al final de la película la intolerancia triunfa sobre la comprensión. _____

3. La película fue producida por Tomás Gutiérrez Alea en 1928. _____

4. La película se estrenó en el Cine Imperial en 1994. _____

5. El director de la película es considerado por muchos como el peor cineasta del mundo. _____

6. Además de películas, Tomás Gutiérrez Alea ha realizado cortometrajes y documentales. _____

7. El guión de "El lobo, el bosque y el hombre nuevo" fue escrito por Rulfo. _____

8. El texto de Senel Paz ha sido presentado también en teatros mexicanos y cubanos. _____

11-18 Televisión. La familia de Carlos vive en Toledo y a todos les gusta el canal 3 de la televisión pública española. A continuación tienes la lista de programas de ayer. Léelos.

■ January 26, 2000

07:00 That's English
Hoy aprenderemos a hablar del futuro. Expresar indiferencia y aprobación. Comprender textos con información estadística.

08:00 Barrio Sésamo
Programa infantil para niños en edad preescolar.

09:00 El nuevo show de Popeye
Popeye sonámbulo // El Tesoro de Transilvania (3)
Después de siete noches navegando por los mares más peligrosos sin poder descansar Popeye regresa a casa.
El conde Drácula visita a Popeye para que le encuentre el tesoro que se esconde en su castillo.

10:00 TV Educativa: La aventura del saber
Memoria del siglo XX: Medicina y Salud
Los avances y descubrimientos en medicina de este siglo han servido para salvar millones de vidas de personas cuyas enfermedades eran hasta hace poco desconocidas en su tratamiento.

Cerebro y máquina: La energía
El concepto científico. La conservación de la energía, sus transformaciones y degradaciones. Puede haber energías positivas y negativas.

11:00 La película de la mañana
El corsario (1970)
Dirección: Antonio Mollica
Guión: E. Brochero, Nino Rolli
Fotografía: Emilio Foriscot
Música: A. F. Lavagnino
Intérpretes: Roberto Wood, Tania Alvarado, Cris Huerta, Armando Calvo, Angel del Pozo
País de origen: España-Italia
Sir Jeffrey, corsario inglés, ha perdido su barco en una partida de dados y necesita robar otro para continuar sus correrías. Jeffrey y sus hombres conseguirán que los franceses les hagan prisioneros y les encadenen en la bodega de su buque. Ya en alta mar, los piratas escapan de su encierro, vencen a la tripulación y se hacen dueños de la nave. Varias naciones europeas ofrecen fuerte recompensas por sus cabezas; los combates se suceden para este grupo de hombres condenados a no poder jamás vivir en paz.
PARA TODO PÚBLICO

15:45 Amazonia indómita
El océano verde (12)
La bóveda arbórea del bosque alberga millares de criaturas bajo la protección de su verdor. La familia de los capibaras ha crecido y busca un nuevo territorio. En los bancos del río una nueva generación de caimanes está capturando peces y la nutria surca las aguas enseñando a vivir a su camada. Un nuevo ciclo anual ha concluido y la vida sigue en el bosque.

16:50 China, el dragón milenario
La patria de Confucio
Dirección y guión: Francisco Aguirre y Yang Dong
Fotografía: Magi Torroella
Música: Montxo García y Wu Jiaji
Confucio, el más importante filósofo de la historia de China, creó un sistema de pensamiento, basado en cierto escepticismo y bastante sentido común, que hacía hincapié el respeto a la autoridad y a la edad. Esta doctrina ha formado durante siglos el espíritu de la sociedad china y logró superar el marxismo de la época del presidente Mao.

22:00 La noticia

24:00 El tercer grado
Desde el Palacio de Fuensalida en Toledo entrevista a José Bono (Presidente de la Junta de Castilla-La Mancha)

01:00 Metrópolis
Oriente lejano
El programa muestra la obra de artistas procedentes de China, Taiwan y Corea, obras y nombres poco conocidos en el mundo occidental. Por lo menos hasta este año, cuando los visitantes de la Bienal de Venecia de 1999 se sorprendieron ante la avalancha de artistas chinos presentes en el certámen. Algunos residen desde los años noventa en occidente pero la mayoría sigue viviendo y trabajando en su país natal.

01:30 Conciertos de radio-3
Skanda
Nacieron en Mieres, Asturias, en el 97, tras la disolución de Miereiners. Su sonido es una potente mezcla de rock, funk y blues aunque tan explosivo cruce parta del folclore de su tierra.

02:00 Cine club
Yo la conocía bien
Dirección: Antonio Pietrangeli
Guión: Antonio Pietrangeli, Ruggero Maccari, Ettore Scola
Fotografía: Armando Nannuzzi
Música: Piero Piccione
Intérpretes: Stefania Sandrelli, Mario Adorf, Nino Manfredi, Jean Claude Brialy
País de origen: Italia-Francia-Alemania
Una joven y bella provinciana llega a Roma dispuesta a abrirse camino. Ejerce diversos oficios y entabla relación con diferentes hombres, hasta que llega a entrar en el mundo de la publicidad, el cine, la moda, etc… lleno de trampas y burlas.
NO RECOMENDADA PARA MENORES DE 13 AÑOS

Estos son algunos datos sobre los miembros de la familia.

La madre de Carlos: Está aprendiendo inglés, trabaja en la Consejería de Cultura en la Junta de Castilla–La Mancha. Ha hecho varios documentales sobre el río Tajo para la Junta.

El padre de Carlos: Es médico. Le gusta mucho el arte y el cine. Se acuesta casi siempre antes de las doce de la noche.

Carlos: No tiene trabajo. Estudió filosofía en la universidad. Le gusta mucho la música y hace años perteneció a un grupo de rock. No le interesa la política.

Fernando, hermano de Carlos: Tiene cuatro años. Le gustan mucho los dibujos animados. Empieza el colegio a las 9 de la mañana.

A. ¿Qué han visto? Teniendo en cuenta los gustos de la familia y la programación de ayer, completa la información siguiente.

1. No creo que Carlos _____
   _____ porque _____
   _____, pero es posible que _____
   _____ porque _____
   _____.

2. Es posible que Fernando _____
   pero dudo que _____
   porque _____.

3. Es una lástima que el padre de Carlos _____
   pero si se quedó despierto hasta la una y media quizá _____

4. Como la madre de Carlos está aprendiendo inglés, es posible que _____
   _____ pero lo dudo, porque _____
   _____

   Preferiría que _____
   _____.

B. ¿Y tú? De todos los programas del canal 3, ¿cuál te parece que fue más interesante? ¿Por qué? ¿Qué tipo de programas de televisión te gustan a ti? ¿Cuál es tu programa favorito?

_____
_____
_____
_____
_____
_____

11-19 Encuesta sobre música. Completa la siguiente encuesta sobre la música que te gusta y no te gusta.

A. Cuál es, en tu opinión:

1. una canción cuya letra no se entiende bien: _____

2. una canción que se oye en todas las emisoras: _____

3. un clásico del rock que a ti te gusta mucho: _____

4. una canción con una música muy pegajosa que no te gusta nada: _____

5. la canción de moda del momento: _____

6. una canción con un ritmo muy sabroso: _____

7. una canción con un mensaje político: _____

   ¿Crees que sean muy populares ahora las canciones de este tipo? ¿Por qué? _____
   _____

8. ¿Cuál es, en tu opinión, el grupo de música más importante del siglo XX? ¿Por qué?
   _____
   _____

B. Escribe ahora un párrafo sobre tu canción favorita. Da el título de la canción y explica por qué lo es. Usa expresiones para hablar de música.

_____
_____
_____
_____

C. Describe el tipo de música que se hace en la actualidad y de qué trata la letra de muchas canciones.

_____
_____
_____
_____
_____

12. Capítulo doce
El amor y la celebración de la vida

I. Vocabulario

12-1 Rompecabezas de palabras. Forma palabras relacionadas con las fiestas a partir de las palabras con letras desordenadas que se dan a continuación. La primera letra de la palabra servirá de clave.

Modelo: EILAB   baile_____

1. HECRODER   d_____   5. GELARRA   a_____
2. HEMOREBRACRAS e_____   6. ELDISFE   d_____
3. FOJETES   f_____   7. BLOGO   g_____
4. IDREVITRES   d_____   8. DRINBIS   b_____

12-2 La boda. Rosario escribe todas las semanas en su diario lo que ha ocurrido durante la semana. Completa lo que escribió ayer con las palabras entre paréntesis. Haz los cambios necesarios.

El sábado pasado se casó mi hermana y, como a nosotros nos gusta (1) _____ (festejar, adorar) cualquier (2) _____ (acontecimiento, desfile) alegre, mis padres decidieron (3) _____ (confiar, hacer una gran fiesta) en honor a los novios. Mis padres (4) _____ (aguantar, convidar) a toda la familia y, por suerte, no faltó nadie. Yo me (5) _____ (asombrar, avergonzar) de que incluso viniera el hermano de mi madre que vive en Lima. El banquete fue estupendo y en la cena sobró muchísima comida y bebida. Mi padre, que es muy gracioso, empezó a (6) _____ (contar chistes, gastar) en la mesa y todos empezamos a reírnos. Al final del almuerzo, se levantó e (7) _____ (impresionar, hacer un brindis) por los novios. Todos los invitados alzaron las copas y dijeron "Vivan los novios". Mi abuelo dijo que lo único que faltó en la boda fueron (8) _____ (fuegos artificiales, globos) pero mi padre le explicó que los habría comprado si la boda no hubiera sido por la mañana. Tengo la impresión de que mis padres se salieron bastante de su (9) _____ (derroche, presupuesto) y de que este año nos vamos a tener que quedar trabajando en la tienda durante todas las vacaciones.

12-3 Una nueva fiesta. Un grupo de inmigrantes mexicanos le ha escrito una carta a la alcaldesa de una ciudad de Texas y en ella le pide varias cosas. Completa la carta con las palabras que se dan a continuación. Haz los cambios necesarios.

aplicar	forma	formulario	mover	mudarse	solicitar

Señora alcaldesa:

Como usted sabe, muchos mexicanos (1) _____ a esta ciudad en los últimos años. Estamos muy contentos aquí pero queremos pedirle varias cosas.

En primer lugar nos gustaría que todos los (2) _____ del ayuntamiento estuvieran escritos en inglés y en español. De esta manera, si alguien va a (3) _____ trabajo o a pedir otra cosa, no tendrá ningún problema para hacer su gestión. ¿Cree usted que se puede (4) _____ esta norma también a los hospitales y centros de salud?

Otra cosa es que queremos que se construya en nuestro barrio una iglesia que tenga (5) _____ de pirámide y murales en las paredes. Queremos celebrar nuestras fiestas religiosas en un edificio que nos recuerde a los de nuestros antepasados.

Por último, nos gustaría que, para el 5 de mayo toda la gente (6) _____ sus automóviles de la calle César Chávez a otras calles. Este año queremos celebrar esta fiesta con un desfile por esa calle y necesitamos su ayuda con el tráfico.

Le agradecemos por anticipado toda su ayuda.

Atentamente,
Junta de vecinos "Guadalupe"

12-4 Ocasiones diferentes. El próximo mes de diciembre va a haber varios acontecimientos importantes en la familia de Rosa. Selecciona la expresión que Rosa le va a decir a esa persona.

¡Felices fiestas!	¡Que viva la libertad!	¡Vivan Guadalupe y Juan!
¡Viva los novios!	¡Feliz cumpleaños!	¡Feliz año nuevo!	¡Feliz día del santo!

1. El 12 es la Virgen de Guadalupe en el calendario católico.
   La prima de Rosa se llama Guadalupe. ¿Qué le va a decir? _____

2. El 14 de ese mes nació su hermano. ¿Qué le va a decir ese día? _____

3. El 16 de diciembre Rosa y sus amigos van a ir a una marcha política
   en contra de la censura. ¿Qué van a gritar ella y sus amigos? _____

4. Rosa va a ir a la casa de tus tíos, que son católicos, el 24 de
   diciembre. ¿Qué les va a decir? _____

5. El día 27 Guadalupe y su novio Juan se van a casar. ¿Qué va a
   gritar Rosa en el banquete? _____

6. La noche del 31 de diciembre, después de las doce campanadas,
   ¿qué les va a decir Rosa a todos? _____

II. Gramática

Referencia gramatical 1

12-5 Las fiestas patronales. Javier no ha podido ir a las fiestas patronales de su pueblo, el Burgo de Osma, porque está enfermo. Sin embargo, ha estado todo el día pensando en lo que posiblemente ha hecho la gente durante el día. Escribe las ideas de Javier usando el futuro perfecto para expresar probabilidad. Empieza cada oración con la frase: *Me imagino …*

> **Modelo:**   (9:00) mis amigos / levantarse
> *Me imagino que mis amigos ya se habrán levantado.*

1. (11:30) la reina de las fiestas / desfilar / en su carroza

   _____

2. (12:30) la misa / de la catedral / terminar

   _____

3. (6:00) mis amigos / ir / a los toros

   _____

4. (8:00) el baile / empezar / en la plaza

   _____

5. (11:00) la gente / ver / los fuegos artificiales

   _____

6. (12:00) el tío Carlos / emborracharse

   _____

12-6 Planes. Blanca y José son novios y piensan casarse, pero todavía tienen muchas cosas que hacer antes de la boda. A continuación tienes algunas de las cosas que Blanca piensa que habrán hecho los dos para determinada fecha.

> **Modelo:**   yo / comprarse / coche / a finales de este mes
> *A finales de este mes yo me habré comprado un coche.*

1. José / encontrar trabajo / a finales de este mes

   _____

2. yo / terminar la maestría / en julio del año que viene

   _____

3. nosotros / mudarse de apartamento / en septiembre

   _____

4. nosotros / casarse / a finales del año próximo

   _____

5. nuestro primer hijo / nacer / a finales del 2005

   _____

12-7 La fiesta del pueblo. Hoy es la fiesta del pueblo de La Bodera y todo el mundo celebra a su modo. Explica qué habrían hecho ese día tú, tu amiga y otras personas en relación con las situaciones descritas. Usa el condicional perfecto.

Modelo: Juan bailó en una discoteca con la reina de las fiestas.

(yo / bailar también con ella) *Yo habría bailado también con ella.*

1. Alberto se emborrachó.

(yo / no beber tanto) _____

2. Antonio discutió con su novia.

(Mirta / no tolerar los gritos de su novio) _____

3. David y Cristina gastaron mucho en la cena.

(tú / no pedir / platos tan caros en el restaurante) _____

4. Mis padres se fueron a casa antes de que empezara el desfile.

(nosotros / quedarse hasta el final del desfile) _____

5. Rafa y Chus convidaron con cerveza a todos sus amigos.

(yo / no gastarse nada en invitar a mis amigos) _____

Conexiones

12-8 Las lamentaciones de Gustavo. Gustavo siempre dice que va a ir a fiestas, pero nunca va. El problema es que después de que las fiestas han pasado, siempre se lamenta de no haber ido. Escribe lo que piensa Gustavo en cada caso. Si no conoces las fiestas, busca información en la biblioteca o en el Internet.

Modelo: (febrero) participar en los desfiles del carnaval / marcharse a Cádiz

Habría participado en los desfiles del carnaval si me hubiera marchado a Cádiz.

1. (19 de marzo) hacer fotos de las Fallas / ir a Valencia

_____

2. (abril) bailar sevillanas durante la Feria de Abril / visitar Sevilla

_____

3. (15 de mayo) divertirse en la verbena de San Isidro / viajar Madrid

_____

4. (24 de junio) caminar sobre las brasas (hot coal) / estar en San Pedro Manrique

_____

5. (25 de julio) ver el botafumeiro (censer) en la catedral / hacer el peregrinaje a Santiago de Compostela

_____

12-9 Los Sanfermines. Adela y Germán fueron este año a Pamplona para pasar allí las fiestas de San Fermín. A continuación tienes lo que les ocurrió allí.

A. Explica qué habría pasado en circunstancias diferentes.

Modelo: Adela y Germán viajaron a Pamplona en autobús porque no encontraron billetes de tren.
Si hubieran encontrado billetes de tren, no habrían viajado en autobús.

1. Adela y Germán fueron a Pamplona porque querían correr delante de los toros.

   Si no _____.

2. La primera noche durmieron en un parque público porque no encontraron ningún hotel.

   Si _____.

3. Al día siguiente se compraron pañuelos rojos porque se olvidaron los suyos en Madrid.

   Si no _____.

4. Adela no corrió delante de los toros porque no vio a ninguna mujer en el grupo de corredores.

   Si _____.

5. Germán tuvo que ir al hospital porque lo atropelló un toro.

   Si _____.

6. Germán pasó cuatro días en el hospital porque tenía algunas heridas de consideración.

   Si _____.

7. Adela se volvió a Madrid porque no sabía qué hacer en Pamplona sin Germán.

   Si _____.

B. Busca en la biblioteca o en el Internet qué son los Sanfermines. Escribe un breve párrafo describiendo esta fiesta.

_____

_____

_____

_____

_____

_____

12-10 Una boda aburrida. Teresa y Mario se casaron la semana pasada, pero, como no tenían dinero, no pudieron celebrar su boda como les habría gustado. Selecciona una de las siguientes opciones para completar la información sobre lo que habría pasado de haber hecho las cosas de modo diferente.

invitar a cenar a todos sus amigos   nosotros saber cuáles eran sus problemas
pedir dinero al padre de Teresa para la boda   tener más dinero   todo salir mejor

Si hubieran planificado mejor la boda (1) _____.

(2) _____, si hubieran podido pagar el restaurante.

(3) _____ les habríamos organizado una pequeña fiesta.

Habrían ido a algún sitio para su luna de miel (4) _____.

(5) _____ él se lo habría prestado.

12-11 Problemas matrimoniales. Rebeca y su esposo Víctor están teniendo muchos problemas últimamente. Une la información de la columna de la izquierda con la de la derecha para saber lo que le dijo Rebeca a Víctor la otra tarde.

1. Antes de casarnos…

2. Para evitar el divorcio…

3. El otro día, al pasar por el café Picasso,…

4. De haber sabido antes que eras un donjuán,…

5. Después de volver a casa la otra noche,…

a. …no me habría casado contigo.

b. …eras más romántico.

c. …noté que lo primero que hiciste fue llamar a Cristina.

d. …te vi sentado en una mesa con Cristina.

e. …tienes que convencerme de que no hay nada entre tú y Cristina.

12-12 **La reacción de Víctor.** Completa la explicación que le dio Víctor a Rebeca con las preposiciones y frases preposicionales siguientes.

al	antes de	de después de	para	sin

"Rebeca: tú estás loca. (1) _____ oír lo que acabas de decir, me doy cuenta de que

no me conoces. ¿Sabes por qué llamé a Cristina la otra noche? La llamé (2) _____

hablar de ti. Ella está también muy preocupada con tu manera de actuar últimamente. El otro

día se cruzó contigo en la calle (3) _____ salir del trabajo y tú no la saludaste.

¿Es que no la viste? No puedes pasar delante de tu mejor amiga (4) _____

decirle hola, ¿no crees? Ya sé que piensas que yo soy la causa de todas tus preocupaciones, pero

(5) _____ acusarme de ser un marido infiel, debes asegurarte de lo que dices.

Y sobre ir al Picasso con Cristina, ¿crees tú que nos habríamos arriesgado a que nos vieras juntos

al lado de la oficina (6) _____ haber tenido algo que ocultar? ¿No es lo más

lógico que, si trabajo con ella, nos tomemos de vez en cuando un café? ¿No lo haces tú también

con tus compañeros?"

12-13 **El carnaval dominicano.** Este año Juana ha decidido ir al carnaval de la República Dominicana. La Secretaría de Estado de Turismo le envió esta información sobre la historia del Carnaval. Léela y después explica con otras palabras algunos de los datos que se dan.

El carnaval en la República Dominicana

En 1821 la República Dominicana consiguió su independencia de la Corona Española en un acuerdo amistoso, a través de transacciones pacíficas y sin tener que acudir a medios belicosos. Sin embargo sus deseos de libertad e independencia fueron suprimidos inmediatamente con la invasión de la nación vecina, Haití. Los haitianos ocuparon esa parte de la isla por 22 años. Durante la ocupación, los haitianos trataron de cambiar las costumbres y las tradiciones, y hasta el idioma español fue cambiado por el creole o francés. Por ejemplo, los documentos oficiales debían ser escritos en francés. Pero las ansias de independencia del espíritu dominicano los llevó finalmente a expulsar a los haitianos en 1844.

Desde entonces se festeja esta nueva independencia junto con el carnaval tradicional de la pre-cuaresma celebrado en los países católicos. Hay desfiles de comparsas en las calles, personas con máscaras bailando, bailes de disfraces, y alegría general en todas partes.

A. En otras palabras. Explica con otras palabras algunas de las ideas incluidas en la información anterior. Completa las ideas con las preposiciones y frases preposicionales necesarias.

1. _____ ser invadida por los haitianos, la República Dominicana fue una colonia española.

2. Los dominicanos no pudieron disfrutar de su independencia _____ haber llegado a un acuerdo amistoso con los españoles.

3. _____ ocupar la República Dominicana, los haitianos trataron de imponer la lengua francesa.

4. _____ no haber expulsado a los haitianos, los dominicanos hablarían ahora francés.

5. Todos los años los dominicanos aprovechan el carnaval _____ disfrazarse y celebrar así su independencia.

B. ¿Y tú? Explica cómo te habrías disfrazado tú si hubieras ido al carnaval de la República Dominicana del año pasado, con quién habrías ido y qué habrías hecho allí. Busca en Internet información adicional sobre el carnaval en un país hispano.

_____

_____

_____

_____

_____

_____

III. Cultura

12-14 **Gracias, Violeta.** El año pasado una compañía discográfica sacó el disco *Gracias, Violeta*, que recoge algunas de las mejores canciones de Violeta Parra. En el disco se incluye lo siguiente sobre la cantautora chilena.

Violeta Parra es para muchos la folclorista más importante de Latinoamérica. Nacida en Chile en 1917, se inició muy joven en el mundo de la música, cantando con sus hermanos boleros, rancheras y otros tipos de música popular. Impulsada por su hermano Nicanor, el gran poeta chileno, empezó a rescatar y recopilar la música folclórica de su país en 1952. Los años siguientes fueron de intensa actividad para Violeta Parra: compuso y grabó canciones inspiradas en ritmos populares e incluso recibió el premio Caupolicán, otorgado a la mejor folclorista del año 1954. Entre sus discos más conocidos se hallan "Casamiento de negros", la serie "El folclore de Chile", "Toda Violeta Parra", "Defensa de Violeta Parra", "Cantos campesinos" y "Últimas composiciones".

Violeta Parra fue una gran embajadora de la música de su país, llevándola a los escenarios de diferentes países europeos y latinoamericanos. Se suicidó en 1967, dejando tras ella no solamente un valioso legado de canciones de tanta fuerza como "Los pueblos americanos" o "Gracias a la vida", sino una serie de escritos y de obras plásticas como el óleo que sirve de portada a este álbum, titulado "Leyendo *El Peneca*".

Une los datos de las dos columnas basándote en la información anterior

1. Nicanor Parra
2. Leyendo *El Peneca*
3. ranchera
4. Caupolicán
5. Violeta Parra
6. "Los pueblos americanos"
7. "Cantos campesinos"

a. folclorista de Chile
b. álbum
c. hermano de Violeta
d. música popular
e. canción
f. pintura
g. galardón recibido por Violeta

12-15 Chile. Vas a ir a la Fundación Violeta Parra de Chile a hacer una investigación sobre música y tradiciones populares chilenas y estás preparando un itinerario para tu viaje. Busca la información siguiente en la biblioteca o en el Internet.

1. Capital: S_____

2. Otras ciudades importantes: C_____, V_____

3. Nombre del desierto que está al norte del país: A_____

4. Nombre de la ciudad chilena más al sur del planeta: P_____
   A_____

5. Isla del Pacífico conocida por sus monolitos gigantes: I_____ de
   P_____

6. Nombre del conquistador de Chile: P_____ de V_____

7. Año en que Chile se independizó de España: _____

8. Presidente chileno derrocado por Pinochet en el golpe de estado de 1973:
   S_____ A_____.

9. Autora chilena, sobrina del presidente derrocado: I_____
   A_____

10. Poeta chileno que recibió el premio Nobel de literatura en 1971: P_____
    N_____

11. Pueblo indígena con la mayor población en Chile: a_____

Nombre: _____   Fecha: _____

IV. Ampliación

12-16 La danza de las tijeras. Después de tu visita a Chile vas a recorrer Perú y piensas asistir a un ritual muy antiguo que se celebra en ese país. Lee la información que encontraste sobre la "danza de las tijeras" y después di si son ciertas (**C**) o falsas (**F**) las siguientes ideas según el texto.

La danza de las Tijeras, un rito rebelde

La danza de las Tijeras es un rito popular que se baila el viernes de Semana Santa, el día de la muerte de Jesucristo según el calendario cristiano. Personas disfrazadas de wamanis o apus representan los diablos andinos de la antigua cultura inca. Según la creencia incaica, los wamanis son los dioses de la montaña que viven en los cerros.

Después de la Conquista estos antiguos rituales autóctonos fueron prohibidos debido a la fuerte represión impuesta por los dominadores quienes consideraron que todo tipo de idolatría debía ser estirpada de la cultura. Sin embargo los nativos usaron las contradicciones del gobierno oficial para seguir rindiendo culto a sus dioses. La antigua religión andina consiguió sobrevivir escondida detrás de complejos símbolos lo cual resultó en un híbrido cultural extraordinario, de forma hispánica y contenido quechua.

La danza de las Tijeras es un baile del culto a los wamanis o apus en el cual los bailarines usan máscaras mientras cantan y bailan en un éxtasis profundo. Según la tradición, se considera que los danzantes están poseídos por los dioses prehispánicos que vivían en manantiales, lagos, rocas, cerros y cataratas. La música imita los sonidos de la naturaleza y los danzantes actúan como intermediarios entre los dioses y los hombres. El mensaje de los dioses es prohibirles a los pobladores mezclarse con los "españoles". La danza tiene una coreografía compleja con cientos de pasos que cambian al compás de la música. Los diferentes movimientos representan escenas de las actividades agrícolas mezcladas con escenas de magia y faquirismos en las cuales hacen aparecer animales vivos, o se clavan agujas y tragan fuego.

Esta danza revela el sentido histórico de un pueblo que ha sobrevivido por cientos de años. Es el único día del año en el cual los diablos andinos reinan sobre la tierra porque no hay ningún otro dios, ya que Jesucristo está muerto ese día.

1. La danza tiene lugar el Viernes Santo. _____

2. Los indígenas creen que los wamanis andinos causaron la muerte de Jesucristo. _____

3. Los conquistadores españoles trataron de practicar su religión clandestinamente. _____

4. La danza de las tijeras es un híbrido cultural de contenido quechua y forma hispánica. _____

5. Durante la danza, los wamanis cantan y bailan en éxtasis. _____

6. Los danzantes tratan de sugerir, con sus movimientos, que los indígenas no deben mezclarse con los españoles. _____

7. Los danzantes tienen que estar en muy buena forma física para realizar las acrobacias que forman parte de la danza. _____

12-17 Una familia típica. Ana y Paco celebran las fiestas navideñas como muchas familias españolas. Tú vas a vivir con ellos durante este año y Ana te ha explicado qué hizo la familia las navidades pasadas. Lee la información y busca en un diccionario las palabras que no conozcas.

El día de Nochebuena cenamos Paco y yo con mi hija la menor y su novio. Preparé unos entremeses, sopa de almendras y besugo al horno. Terminamos la cena con mazapán y turrón. Después Paco y yo fuimos a la Misa del Gallo.

El día de Navidad estuvieron en casa mi hijo y su familia. Comimos mariscos, cordero asado y ensalada y, por supuesto, terminamos la comida con mazapán, turrón y champán.

El día de Nochevieja vinieron desde Barcelona mi hija Marimar, mi yerno y mis tres nietos y se quedaron con nosotros una semana. También estuvieron aquí la menor y el novio. Cenamos muy bien, y a la media noche, como es tradicional, comimos las doce uvas mientras escuchábamos las campanadas del reloj de la Puerta del Sol. Al terminar, hicimos un brindis con champán. Después Chus, la menor, y su novio se fueron a una sala de fiestas a celebrar el año nuevo. Creo que no volvieron a casa hasta las ocho de la mañana.

El cinco de enero llevamos a mis tres nietos a la cabalgata para que vieran el desfile de carrozas con los tres Reyes Magos. Antes de acostarse, los tres pusieron los zapatos debajo de la ventana para que los Reyes les dejaran los regalos esa noche. Al día siguiente, el Día de Reyes, los niños se levantaron muy temprano y, al ver sus regalos, se pusieron muy contentos. Yo canté villancicos con ellos delante del belén y después todos desayunamos un delicioso roscón de Reyes. Al día siguiente Paco y yo nos quedamos solos, quitamos el belén y guardamos todas las figuritas hasta las próximas navidades.

A) Explica qué día te habría gustado pasar con la familia de Ana las navidades pasadas y por qué.

_____

_____

_____

B) Di qué crees que habrán hecho Chus y su novio el Día de Año Nuevo y qué habrías hecho tú.

_____

_____

_____

C) Si hubieras estado con la familia de Ana y Paco el 25 de diciembre, ¿qué platos típicos de tu país habrías preparado tú? Da detalles.

_____

_____

_____

D) Busca en el Internet cuáles son los ingredientes del mazapán. ¿Crees que te habría gustado comerlo durante las navidades? ¿Por qué?

_____

_____

_____

Nombre: _____   Fecha: _____

12-18 Más días feriados. Escribe un ensayo argumentativo breve en el que vas a explicar por qué deben incluir más días feriados en el calendario. Sigue el siguiente esquema:

Párrafo inicial: Presentación de tu punto de vista

Segundo párrafo: Desarrollo de la primera idea que apoya tu propuesta.

Tercer párrafo: Desarrollo de la segunda idea que apoya tu propuesta.

Conclusión: Consecuencias positivas de este cambio en el futuro.

_____

_____

_____

_____

_____

_____

_____

_____

_____

_____

Repaso 4

R4-1 Los problemas de Alfredo. Alfredo está hablando con su hermano sobre sus problemas en el trabajo. Completa su conversación con las palabras en paréntesis y haz los cambios necesarios.

VALENTÍN: El otro día leí rápidamente los (1) _____ (titular, autógrafo) del periódico *La Nación* y fue así como me enteré de que la empresa donde trabajas está en (2) _____ (estreno, bancarrota).

ALFREDO: La verdad, es que a mí no me sorprende nada porque el año pasado hubo muchas (3) _____ (ganancia, pérdida) y tuvieron que pedir algunos (4) _____ (préstamo, vínculo) a varios bancos.

VALENTÍN: Me imagino que los directivos de la empresa (5) _____ (acercarse, reunirse) muy pronto para decidir qué hacer, ¿no?

ALFREDO: Supongo. Yo (6) _____ (conformarse con, confiar en) que todavía puedan encontrar una solución porque, si no, me veo buscando trabajo otra vez. Nunca habría (7) _____ (asentir, prever) que la situación acabara así. Mañana mismo debería empezar a mandar mi currículum a otras empresas.

VALENTÍN: Mira, Alfredo, no te precipites. (8) _____ (valer la pena, contentarse con) esperar un poco a ver qué pasa. Seguramente la próxima semana los directivos (9) _____ (anunciar, alegrar) en (los medios de comunicación, escenarios) (10) _____ cuáles son sus planes para resolver la situación de la empresa y los trabajadores.

ALFREDO: Sí, y, mientras tanto, yo tendré que (11) _____ (afectar, aguantar) las críticas de Marisa, que nunca aprobó que dejara mi otro trabajo.

R4-2 Concurso de televisión. En el canal 5 hay un nuevo concurso que se llama "Pido la palabra", en el que hay que dar la palabra correspondiente a una definición. Tú vas a participar en ese concurso. Escribe la palabra necesaria.

Modelo: Fiesta en honor a una persona que se va a casar. *despedida de soltero/a*

Definiciones **Palabra**

1. Máscara de cartón u otro material que cubre la cara de una persona _____

2. Máquina que sirve para imprimir documentos _____

3. Texto escrito que se usa en una película o en un programa de radio o televisión _____

4. Reparar _____

5. Persona que interpreta canciones _____

6. Máquina que sirve para dejar mensajes en la casa de alguien _____

7. Hacer ruido juntando las palmas de la mano para mostrar que nos gustó algo _____

8. Agradable y entretenido _____

9. Persona o cosa que hace ruido _____

10. Hacerse más pequeño _____

R4-3 Un día muy ocupado. Cuando Cecilia llega a casa por la noche, siempre le cuenta a Pablo cómo le ha ido el día. Escribe lo que dice Cecilia sobre su día usando la información y el pretérito perfecto. Añade las palabras necesarias.

Modelo: hoy / tener / día regular
Hoy he tenido un día regular.

1. autobús / tardar / más de lo normal

_____

2. en el trabajo / nosotros / tener / una asamblea

_____

3. jefe / llamar / algunos trabajadores / su oficina

_____

4. hora del almuerzo / nadie / quedarse / comer / comedor de la empresa

_____

5. después del almuerzo / yo / escribir / informe

_____

6. y tú / ¿qué / hacer /hoy?

_____

Nombre: _____   Fecha: _____

R4-4 Amores y desamores. Carmen es una actriz famosa. Sus amigos están hablando de algunos momentos de la vida de la artista. Escribe lo que dicen siguiendo el modelo. Cuidado con el uso del pluscuamperfecto.

Modelo: 30 de junio de 1988: graduación de Miguel

Carmen / conocer a Miguel (1990) / graduarse

Cuando Carmen conoció a Miguel, él ya se había graduado.

1. 20 de junio de 1992: boda de Miguel y Carmen
   nosotros / verlos (julio) / casarse

   _____

2. 30 de abril de 1994: nacimiento de su primera hija
   tú / visitar (agosto) / nacer / su primera hija

   _____

3. 16 de agosto de 1996: divorcio de Carmen y Miguel
   yo / empezar a estudiar con Carmen (septiembre) / divorciarse

   _____

4. 1997: primera película de Carmen
   ese director / descubrir a Carmen (1998) / hacer / su primera película

   _____

5. 1999: premio Goya a la mejor actriz
   Carmen / terminar su cuarta película (2000) / recibir / el premio Goya

   _____

R4-5 El guión cinematográfico. La segunda película de Carmen se titula "Verano del 39". Completa el fragmento del guión de la película con los pronombres relativos necesarios.

MARÍA: Los años (1) _____ siguieron a la guerra fueron duros para

casi todos, pero especialmente para (2) _____ habían luchado

en el frente republicano. Las mujeres (3) _____ maridos

habían muerto en ese frente, no tenían derecho a ninguna pensión; así que,

cuando se acabó todo, yo tuve que ponerme a trabajar. Acabé aceptando un trabajo

(4) _____ estaba al otro lado de la calle. Era en la tienda del

señor Pedro, a (5) _____ no habían mandado al frente porque

tenía un problema en la pierna (6) _____ le impedía moverse bien.

JUANA: ¿Y tenía usted a alguien (7) _____ cuidara de los dos niños?

MARÍA: No. Entonces no era fácil. Las vecinas con (8) _____ me llevaba

bien también salían a trabajar; así que mis hijos se quedaban solitos en el comedor

mientras yo estaba fuera. Esos niños (9) _____ vivieron la

posguerra eran tristes y responsables.

R4-6 **La despedida de soltera.** Olga está hablando por teléfono con Ema y le dice lo siguiente sobre la despedida de soltera que le quieren hacer a su amiga Raquel. Une la información de las dos columnas y conjuga los verbos de la segunda en el presente o el pretérito perfecto de subjuntivo, según los casos. Usa la siguiente información como referencia:

Ema le dijo a Olga que ya había mandado las invitaciones, pero nadie llamó para confirmar que venía a la fiesta. Necesitan saber el número de personas para calcular cuánta comida hace falta. La hermana de Raquel está enferma y no puede moverse de la cama. Ahora están pintando el comedor, la cocina y la sala. Al final todo saldrá bien.

Modelo: Espero que   al final todo salir bien

Espero que al final todo salga bien.

1. Pediremos la comida para la fiesta cuando   (tú - mandar) / las invitaciones a toda la gente
2. No creo que   (nosotros) saber / quién va a venir
3. Dudo que   nadie / responder todavía
4. Limpiaremos la casa para la fiesta en cuanto la hermana de Raquel / poder venir
5. Espero que   las invitaciones / no perderse
6. Me sorprende   los pintores / terminar

1. _____
2. _____
3. _____
4. _____
5. _____
6. _____

R4-7 Los tiempos cambian. El director de una fábrica de juguetes le está explicando a un familiar suyo las innovaciones que han introducido en la compañía. Completa lo que dice con el imperfecto o el pluscuamperfecto de subjuntivo de los verbos en paréntesis de acuerdo con el contexto.

Hace dos años tuvimos que hacer muchos esfuerzos para que la competencia no nos

(1) _____ (eliminar) del mercado, por eso el año pasado decidimos contratar

a alguien que ya (2) _____ (trabajar) en una empresa como la nuestra para

buscar alguna solución a la crisis. Así fue como vino a trabajar con nosotros la Sra. Romero.

Cuando llegó a la fábrica el primer día, se sorprendió de que nosotros todavía no

(3) _____ (instalar) maquinaria como la que tenían en la empresa de

la que venía. Me dijo que para ser competitivos, necesitábamos estar al día en todo lo que

(4) _____ (relacionarse) con la tecnología. Sin embargo, yo no creía que el

año anterior (5) _____ (tener) tantas pérdidas solamente por estar un

poco anticuados.

La cosa es que nos dieron un préstamo para que (6) _____ (poder-nosotros)

cambiar las viejas máquinas y al poco tiempo, empezamos a notar los efectos positivos de la

nueva tecnología.

R4-8 El carnaval. El carnaval empieza mañana y Elena y Luis van a disfrazarse y a participar en el desfile. Une la información de las columnas de la izquierda y la derecha para ver lo que les dice Luis a sus amigos en relación con el carnaval. Conjuga los verbos de la columna de la derecha en el tiempo adecuado del subjuntivo.

Modelo: Me habría encantado   Ana (disfrazarse) de bailarina
Me habría encantado que Ana se hubiera disfrazado de bailarina.

1. Me habría gustado que   este año el carnaval (ser) divertido

2. Espero que   en cuanto (terminar) el carnaval

3. Díganos de qué van a disfrazarse   para que (poder) reconocerlos en
   ustedes   el desfile

4. Los ganadores del concurso de disfraces Julia (tener) tanto talento para hacer
   podrán salir de viaje   antifaces tan hermosos

5. No creía que   te (comprar) un disfraz más original

1. _____

2. _____

3. _____

4. _____

5. _____

R4-9 La búsqueda del empleado perfecto. En la empresa LAGSA necesitan un nuevo empleado. Completa lo que dice el comité de selección y el director de la empresa en relación con las entrevistas y los candidatos. Usa el tiempo correspondiente del subjuntivo.

El director

1. Me alegro mucho de que ya _____ (tomar - ustedes) la decisión sobre quién va a ser el futuro responsable del área de exportación.

2. Me reuniré con el nuevo empleado para que me _____ (explicar - él) lo que piensa sobre la globalización de la economía.

3. Al Señor López le habrá molestado que no _____ (elegir - nosotros) a su amigo para el puesto.

4. Yo habría preferido que _____ (decir - ustedes) a todos los candidatos que buscábamos un economista, no un político.

5. Llámenme por teléfono después de que _____ (informar - ustedes) a todos los aspirantes sobre nuestra decisión.

El comité de selección

6. Uno de los candidatos nos sugirió que se _____ (invertir) parte del presupuesto en abrir nuevas sucursales en el extranjero.

7. No sabíamos que una candidata _____ (trabajar) anteriormente en el ámbito de la política exterior.

R4-10 Dinero mal empleado. El padre de Armando habla sobre la mala experiencia que tuvieron él y su hijo cuando colaboraron en una película que fue un fracaso. Explica qué habría pasado si no se hubieran dado las circunstancias descritas.

Modelo: Mi hijo había escrito el guión y por eso yo produje esa película.

Si mi hijo no hubiera escrito el guión, yo no habría producido esa película.

1. Los actores no se sabían sus papeles y por eso tardaron mucho en filmar algunas escenas.

   _____

2. En la película no había actores famosos y por eso nadie fue a verla el día del estreno.

   _____

3. La película recibió malas críticas porque la dirección era mala.

   _____

4. Algunas escenas estaban mal filmadas porque el director no tenía experiencia.

   _____

5. Yo no escuché a mi esposa y perdí dinero inútilmente.

   _____

6. Mi hijo tuvo tan mala experiencia con esta película, que dejó de escribir guiones.

   _____

Lab Manual

María González-Aguilar

Atando cabos

Curso intermedio de español

1 Capítulo uno
La identidad

Vocabulario en contexto

1-1 ¿Mi hermano es mi primo? Escucha las siguientes afirmaciones y di si son lógicas (L) o ilógicas (I).

Modelo: Mi hermano es mi primo. – *I* (ilógico).

1. L   I
2. L   I
3. L   I
4. L   I

5. L   I
6. L   I
7. L   I
8. L   I

1-2 En familia. Escucha la siguiente conversación y luego marca todas las afirmaciones correctas según lo que escuches.

Modelo: Mi hermano menor, Héctor, tuvo un accidente.

  c. Es menor que Alba.

1. Héctor

  a. es el hermano de Belén.

  b. es la hermana de Alba.

  c. es menor que Alba.

2. Débora

  a. es la cuñada de Alba.

  b. es la madre de Ana.

  c. es la esposa de Pepe.

3. Laura

  a. es la hermana mayor de Ana.

  b. trabaja por las tardes.

  c. es sobrina de Belén.

4. Ana

  a. es la hermana de Alba.

  b. es la sobrina de Alba.

  c. es la hija de Héctor y Débora.

5. Los suegros de Débora

  a. son los padres de Héctor.

  b. ofrecieron ayuda.

  c. no tienen nietos.

6. Pepe

  a. es el bisabuelo de Belén.

  b. tiene más de ochenta años.

  c. no es muy simpático.

7. Pepe

  a. es el bisabuelo de Belén.

  b. es el más viejo de la familia.

  c. no tiene biznietos.

8. Alba

  a. tiene tanto dinero como Belén.

  b. tiene menos dinero que Belén.

  c. tiene más dinero que Belén.

Conexiones Describing conditions and characteristics: *Ser* and *estar*

1-3 ¿Ser o no ser? Forma oraciones completas con las palabras dadas usando la forma correcta de *ser* o *estar*. Luego escucha las respuestas correctas.

Modelo: Mis abuelos / de España
Mis abuelos son de España.

1. El padre de Héctor / peruano

_____.

2. El cumpleaños del bisabuelo / el 15 de octubre

_____.

3. Marcos / hablando por teléfono y Fernando / escribiendo las invitaciones

_____.

4. Los platos y las servilletas / allí, sobre la mesa de la cocina

_____.

5. Mis sobrinos / tristes porque mi hermana no / aquí

_____.

6. Hoy / la fiesta en casa de mi nuera. Mis nietos / muy contentos

_____.

7. Mi suegro / serio y sencillo y mi suegra / cariñosa y apasionada

_____.

8. ¿La fiesta / en el club? / a las seis, ¿verdad?

_____.

1-4 ¿Listos? Forma oraciones completas con las palabras dadas usando la forma correcta de *ser* o *estar* y el adjetivo correspondiente. Luego escucha las respuestas correctas.

Modelo: Mi hermano (to be ready)
Mi hermano está listo.

1. Tu yerno (to be sick) _____.
2. Las sobrinas (to be bad) _____.
3. Tu suegra (to be funny) _____.
4. La tía Carlota (to look pretty) _____.
5. Tus primos (to be ready) _____.
6. Mis hijos (to be clever) _____.
7. El tío Alfonso (to be ugly) _____.
8. Los biznietos (to be sick) _____.

Nombre: _____   Fecha: _____

Conexiones Expressing equality and inequality: Comparisons

1-5 ¿Mayor o menor? Escucha la descripción de Elena y Mariana y luego contesta las preguntas basándote en la información que escuches.

> **Modelo:** ¿Quién tiene 19 años?
>
> *Elena tiene 19 años.*

1. ¿Quién tiene menos años? _____.
2. ¿Quién es la más alta? _____.
3. ¿Quién es más inteligente? _____.
4. ¿Quién tiene menos hermanos? _____.
5. ¿Quién es menos mala? _____.

1-6 Más o menos. Mira la tabla siguiente y contesta las preguntas que escuches.

> **Modelo:** ¿Quién tiene menos años, Roxana o Ignacio?
>
> *Roxana tiene menos años.*

nombre	año	vivir a	trabajar	hijos	primos	hermanos
Ignacio	37	9 km	7 hs	1	6	2
Pedro	38	14 km	3 hs	0	5	3
Silvia	37	19 km	7 hs	2	12	4
Roxana	24	8 km	8 hs	1	0	4

1. _____.
2. _____.
3. _____.
4. _____.
5. _____.
6. _____.
7. _____.
8. _____.
9. _____.
10. _____.
11. _____.
12. _____.

Referencia gramatical 1 Describing people and things: Adjective agreement

1-7 ¿Cómo son? Transforma las frases según las claves dadas. Luego escucha las respuestas correctas.

> **Modelo:** Mis abuelos son simpáticos
>
> *Mi tía… es simpática.*

1. Mi hermano es inteligente.   Mis sobrinos _____.

2. Mis padres son abiertos.   Mi suegra _____.

3. Mi madre es muy rica.   Mi hermano _____.

4. Mis hijos son fantásticos.   Mi hija _____.

5. Mi esposo es muy cariñoso.   Mis primas _____.

6. Mis primas son muy altas.   Mi papá _____.

7. Mi suegro es conservador.   Mis parientes _____.

8. Mi cuñado es viejo.   Mi cuñada _____.

Referencia gramatical 2 Discussing daily activities: Present tense indicative

1-8 Cada familia es un mundo. Forma oraciones completas con las palabras dadas usando la forma correcta de los verbos en el presente. Luego escucha las respuestas correctas.

> **Modelo:** Mis suegros nos / visitar / con frecuencia
>
> *Mis suegros nos visitan con frecuencia.*

1. Mi bisabuela / mimar / a sus parientes

_____.

2. Los niños / aprender / de los mayores

_____.

3. En nuestra familia nunca / compartir / nada

_____.

4. Sus abuelos les / permitir / todo

_____.

5. Yo / cuidar / a mis sobrinas los fines de semana

_____.

6. Mi yerno no / aceptar / la independencia de mi hija

_____.

7. Mi cuñada / vivir / en el campo

_____.

1-9 Preparativos. Los novios tienen mucho que hacer antes de la boda. Forma oraciones completas con las palabras dadas usando la forma correcta de los verbos en el presente. Luego escucha las respuestas correctas.

Modelo: el cuñado / enviar los telegramas al extranjero
El cuñado envía los telegramas al extranjero.

1. el cuñado / traducir los telegramas del extranjero

   _____.

2. la madre de la novia / ir a la florería

   _____.

3. el padre del novio / tener que encargar el vino

   _____.

4. los novios / comprar los billetes para la luna de miel

   _____.

5. las primas / servir los aperitivos

   _____.

6. el abuelo / soñar con sus futuros bisnietos

   _____.

7. los amigos / contribuir con las bebidas

   _____.

8. nosotros / pensar en un regalo bonito

   _____.

1-10 **Una boda.** Lee la invitación a la boda y contesta las preguntas que escuches.

Román Ayerza y Silvina Uriburu de Ayerza
participan a usted el casamiento de
su hija Lorena
con el señor Gabriel Paz
y le invitan a presenciar la ceremonia religiosa
que se efectuará en la
Iglesia de Nuestra Señora del Pilar
el día 18 del corriente a las 20 horas.

Buenos Aires
Noviembre, 2001

Modelo: ¿Cuándo es la boda?
              La boda es en noviembre.

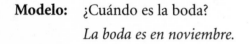

1. _____.

2. _____.

3. _____.

4. _____.

5. _____.

6. _____.

1–11 ¿Quién es quién? Escucha las claves para identificar a cada personaje y arma el árbol genealógico.

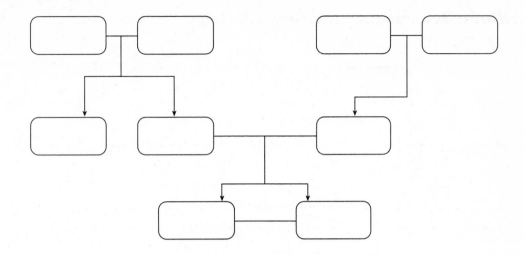

1–12 La familia de Lucía. Escucha la siguiente conversación entre Lucía y George, donde Lucía le habla a George sobre su familia. Completa las frases con los nombres de los distintos parientes según la conversación.

> **Modelo:** Mi familia es muy grande, tengo cuatro hermanos.
>
> *Mateo es el hermano mayor.*

Los parientes de Lucía:

1. Pablo es _____.
2. Inés es _____.
3. Manuel es _____.
4. Juan es _____.
5. Nelly es _____.
6. Agustina es _____.
7. Lucas es _____.
8. Santiago es _____.
9. Marcela es _____.

Dictado

1-13 ¿Quien manda en casa? Escucha y escribe el dictado.

_____

_____

_____

_____

_____

_____

_____

_____

2. Capítulo dos
Relaciones interculturales

Vocabulario en contexto

2-1 ¿Visas con enchiladas? Escucha las siguientes afirmaciones y di si son lógicas (L) o ilógicas (I).

Modelo: La tortilla perdió la visa. – *I* (ilógico)

1. L   I   5. L   I
2. L   I   6. L   I
3. L   I   7. L   I
4. L   I   8. L   I

2-2 El español en Estados Unidos. Escucha el siguiente texto y luego marca todas las afirmaciones según sean ciertas (C) o falsas (F).

Modelo: En los Estados Unidos viven más de doce millones de hispanos.
Hay más de diez millones de hispanos en los Estados Unidos. C

1. Hay menos de treinta millones de hispanos en los Estados Unidos.   C   F

2. En Michigan se concentra el mayor número de hispanos.   C   F

3. California y Nuevo México tienen una gran población hispana.   C   F

4. México es el país con mayor número de hispanos en el mundo.   C   F

5. España tiene menos hispanohablantes que Estados Unidos.   C   F

6. Argentina tiene más hispanohablantes que Colombia.   C   F

7. Estados Unidos tiene más hispanohablantes que Perú.   C   F

8. Estados Unidos va a conservar el español con todas sus variedades.   C   F

2-3 ¿Guatemalteco o dominicano? Escucha las claves para identificar a cada personaje y completa el cuadro.

Nombre	País de origen	Idiomas	Lugar donde vive	Lo que le gusta	Lo que le molesta	Lo que le interesa
	República Dominicana		Tejas			la globalización
			Florida		discriminación	la política
		español		uvas		la ropa y la moda
	Puerto Rico			los platos típicos de diferentes países	el machismo	

Referencia gramatical 1 Describing daily routine: Reflexive verbs

2-4 **Todos los días.** Imagina la rutina diaria de la protagonista del cuento "No speak English". Haz frases completas con los elementos dados. Luego escucha las respuestas correctas.

> **Modelo:**   Todas las mañanas / levantarse a las ocho
> *Todas las mañanas se levanta a las ocho.*

1. Todas las mañanas / despertarse a las siete y media

   _____.

2. Despertar / a su esposo y / ducharse

   _____.

3. Lavarse / el pelo y / cepillarse / los dientes

   _____.

4. Tomar / el desayuno con su familia

   _____.

5. Un rato más tarde / vestirse y / maquillarse

   _____.

6. Su marido y su hija / despedirse e / irse a sus trabajos

   _____.

7. Ella / quedarse en casa todo el día

   _____.

Referencia gramatical 2 Describing reciprocal actions: Reciprocal verbs

2-5 Jorge y Silvia. Reconstruye la historia de estos dos inmigrantes. Haz frases completas con los elementos dados en el pretérito. Luego escucha las respuestas correctas.

Modelo: conocerse / en el viaje a los Estados Unidos

Se conocieron en el viaje a los Estados Unidos.

1. conocerse / en la frontera

   _____.

2. entenderse / perfectamente

   _____.

3. enamorarse / rápidamente

   _____.

4. quererse / muchísimo

   _____.

5. casarse / en la primavera

   _____.

6. enojarse / mucho

   _____.

7. divorciarse / en el otoño

   _____.

8. encontrarse / en el invierno

   _____.

9. mirarse / durante largo rato

   _____.

10. abrazarse / felices

    _____.

11. besarse / con pasión

    _____.

12. juntarse / otra vez

    _____.

Conexiones Expressing unintentional or accidental events: Reflexive for unplanned occurrences

2-6 **¿Qué pasó?** Estas personas tuvieron un muy mal día. Escribe oraciones completas con las claves dadas y luego escucha las respuestas correctas. Presta atención al tiempo de los verbos.

Modelo: A Juan y Cecilia / perderse los pasaportes

A Juan y a Cecilia se les perdieron los pasaportes.

1. A nosotros / olvidarse los pasaportes

_____.

2. A ellas / perderse el billete

_____.

3. A mí / acabarse el dinero

_____.

4. A ti / romperse la maleta

_____.

5. A ustedes / vencerse la visa

_____.

6. A él / acabarse los formularios

_____.

7. A mí / caerse los documentos

_____.

8. A nosotras / quemarse las tortillas

_____.

2-7 ¿Se te olvidó? Escucha estos breves diálogos y marca la respuesta correcta para indicar de qué están hablando en cada uno.

Modelo: — Ay, se me cayó.

— No te preocupes aquí tienes otro.

El papel

1. a. Los documentos   b. El pasaporte

2. a. Las enchiladas   b. La comida

3. a. Los billetes   b. La visa

4. a. Las monedas   b. El dinero para un café

2-8 ¿A quién? Escucha cada una de las siguientes preguntas y decide a quién le ocurrió cada cosa. Marca la respuesta correcta para cada pregunta que escuches.

Modelo: ¿Se te perdió la tarjeta?

A ti

1. a. A él   b. A mí   c. A ellas

2. a. A nosotros   b. A ellos   c. A ti

3. a. A mí   b. A ti   c. A ella

4. a. A ti   b. A nosotras   c. A vosotras

5. a. A mí   b. A ellas   c. A vosotros

6. a. A ti   b. A él   c. A nosotros

Conexiones Expressing likes and dislikes: Verbs like *gustar*

2-9 ¡Muchísimo! Escucha estos breves diálogos y marca la respuesta correcta para indicar de qué están hablando en cada uno.

Modelo: —¿Te interesan?

—*Sí, me interesan muchísimo.*

Las costumbres hispanas

1. a. Los programas de televisión hispanos   b. La música latina

2. a. Otras culturas   b. La literatura chicana

3. a. La comida tejano-mexicana   b. Las enchiladas

4. a. Las películas de Antonio Banderas   b. Una canción de Gloria Estefan

2-10 ¿Te gusta? Escribe oraciones completas con las claves dadas. Luego escucha las respuestas correctas.

Modelo: A mí / molestar / los problemas

A mí me molestan los problemas.

1. A mí / molestar / las personas racistas

_____.

2. A ti / interesar / participar en política

_____.

3. A nosotros / faltar / leyes justas

_____.

4. A ustedes / caer bien / el nuevo profesor bilingüe

_____.

5. A usted / caer mal / la migra

_____.

6. A ella / encantar / hacer y comer tortillas

_____.

2-11 ¿De acuerdo? Escucha estos pequeños diálogos y di si las personas están de acuerdo o no.

Modelo: — A mí no me gusta nada la televisión.

— A mí sí.

Desacuerdo ☹

	Acuerdo ☺	Desacuerdo ☹
1.		
2.		
3.		
4.		
5.		
6.		
7.		
8.		

Al fin y al cabo

2-12 Sobre gustos no hay nada escrito. Escucha la descripción de las siguientes personas y marca los gustos y preferencias de cada una.

Nombre	Interesar	Encantar	Fastidiar	Importar	Fascinar
Juan					
Pablo					
Santiago					
Pedro					
Ángeles					
Ana					

2-13 ¡Qué desastre de día! Hay días en que todo sale mal. Escucha el siguiente relato y di si las afirmaciones son ciertas (C) o falsas (F).

> **Modelo:**   Anoche me acosté tarde porque se me perdieron las llaves de casa.
>
> *Anoche se acostó muy temprano. – F*

1. Se le rompió el despertador.   C   F

2. Se le descompuso la cafetera.   C   F

3. Le gusta mucho el café.   C   F

4. Los papeles se mancharon con el café.   C   F

5. Necesitaba obtener el pasaporte.   C   F

6. Se le olvidaron las fotos y unos papeles.   C   F

7. Las colas no le molestan porque puede leer. C   F

8. Se rompió el autobús y no pudo obtener la visa. C   F

2-14 Homenaje a César Chávez. Escucha la noticia y marca las afirmaciones ciertas.

1. La noticia es sobre una ciudad en Texas.

2. César Chávez fue un defensor de los derechos de los hispanos.

3. Un senador se reunió con otros senadores en el ayuntamiento.

4. Lo que quieren es darle el nombre César Chávez a una calle de la ciudad.

5. Más de cien comerciantes están en contra.

6. Los que se oponen dicen que costaría mas de 200.000 dólares.

7. En otras ciudades hubo problemas similares.

8. Más de la mitad de la población de Corpus es mexicoamericana.

Dictado

2-15 **"No Speak English."** Escucha y escribe el dictado.

_____

_____

_____

_____

_____

_____

_____

_____

_____

Capítulo tres
Trotamundos

Vocabulario en contexto

3-1 ¿Esquiar en la selva? Escucha las siguientes afirmaciones y di si son lógicas (L) o ilógicas (I).

Modelo: Voy a esquiar a la selva tropical. – I (ilógico)

1. L   I
2. L   I
3. L   I
4. L   I

5. L   I
6. L   I
7. L   I
8. L   I

3-2 Mi último viaje. Escucha el siguiente texto y luego marca con una C todas las afirmaciones correctas según el texto.

1. Fue a México en la península Ibérica.

2. En Cancún se puede practicar buceo.

3. A las ruinas de Chichen Itza se llega por carretera.

4. Cozumel es una montaña en Costa Rica.

5. En Cozumel hay playas.

6. En Costa Rica hizo ecoturismo.

7. En Costa Rica estuvo en un hotel de tres estrellas.

8. El parque nacional Tortuguero tiene arrecifes de coral.

3-3 ¿Sección de fumadores? Escucha una serie de preguntas y marca en cada caso la respuesta apropiada.

Modelo: ¿Hay ducha?
       a. No, con desayuno.
       b. Sí. ✓

1. a. No.
   b. Sí, con ducha.

2. a. Todas las noches.
   b. A las diez de la mañana.

3. a. Sí.

   b. No, sólo con desayuno.

4. a. Ésta, la número veintitrés.

   b. El vuelo 550 embarca ahora.

5. a. Sí, y el pasaporte.

   b. La visa sí, el pasaporte no.

6. a. Una, en Tenerife.

   b. Sí, es un billete de ida y vuelta.

7. a. Es igual.

   b. No fumadores, por favor.

8. a. Yo no fumo, ¿y usted?

   b. No fumadores, por favor.

Referencia gramatical 1 Talking about past activities: The preterite

3-4 De viaje. Escucha cada una de las siguientes frases y escríbela en el pretérito como en el modelo.

Modelo: Yo salgo de viaje en agosto.

Yo salí de viaje en agosto.

1. _____.

2. _____.

3. _____.

4. _____.

5. _____.

6. _____.

7. _____.

8. _____.

Referencia gramatical 2 Telling how long ago something happened: *Hace* + time expressions

3-5 **¿Hace mucho?** Escucha las preguntas siguientes y responde a cada una según las pistas que tienes abajo.

Modelo: ¿Cuánto tiempo hace que viajaste a México? – tres meses
Hace tres meses que viajé a México.

1. un año

_____.

2. dos días

_____.

3. una semana

_____.

4. cuatro meses

_____.

5. un rato

_____.

6. muchos años

_____.

7. unos días

_____.

8. dos horas

_____.

Referencia gramatical 3 Describing how life used to be: The imperfect

3-6 **Las vacaciones de infancia.** Transforma las frases que escuches según el modelo.

Modelo: Ellas van de vacaciones a Costa Rica.
Ellas iban de vacaciones a Costa Rica.

1. _____.
2. _____.
3. _____.
4. _____.

5. _____.

6. _____.

7. _____.

8. _____.

Conexiones Narrating in the past: Preterite and imperfect

3-7A El viaje de los González. Escucha la narración del viaje de Santiago y Marcela y luego haz oraciones completas con los elementos dados y los verbos en pretérito o en imperfecto.

Modelo: Ves: Ayer los González / tener / un día muy ocupado

Escribes: *Ayer los González tuvieron un día muy ocupado.*

1. Por la mañana / ir / en una excursión a los arrecifes

_____.

2. Ellos / salir / con un guía

_____.

3. Hacer / calor y no / haber / viento

_____.

4. El guía / ser / una persona muy inteligente y divertida

_____.

5. Por la mañana / bucear / en los arrecifes

_____.

6. Por la tarde / nadar / en un lago

_____.

7. Marcela / tener / una cámara nueva

_____.

8. Cuando / bajar / empezar / a soplar un viento muy fuerte

_____.

3-7B Vuelve a escuchar la narración y di si las afirmaciones son ciertas (C) o falsas (F).

1. Por la mañana / ir / en una excursión a las montañas.   C   F

2. Ellos / salir / con un guía.   C   F

3. Hacer / calor y no / haber / viento.   C   F

4. El guía / ser / una persona muy callada y tímida.   C   F

5. Por la mañana / bucear / en los arrecifes.   C   F

6. Por la tarde / nadar / en un lago.   C   F

7. Marcela / tener / una cámara nueva.   C   F

8. Cuando / bajar / empezar / a soplar un viento muy fuerte.   C   F

3-8 **Leyenda quechua.** El sol y el viento. Escucha con atención esta leyenda y luego agrupa los verbos en las categorías correspondientes.

Verbo	Acción completa en el pasado	Acción repetida en el pasado	Descripción
se encontraban		✓	
visitaban			
llevaba			
era			
sopló			
calentó			
se quitó			

3-9 Costumbres. Este año esta gente ha cambiado un poco sus costumbres. Completa las frases con las formas correctas del pretérito o del imperfecto. Luego escucha las respuestas correctas.

Modelo: (ir) Ellas *iban* cada verano a Puerto Rico pero este verano no *fueron.*

1. (viajar) Nosotros _____ todos los años a Costa Rica pero este año no _____.

2. (recorrer) Antes yo siempre _____ los museos nuevos pero este no lo _____.

3. (visitar) Ustedes generalmente _____ a sus padres en las vacaciones pero en estas vacaciones _____ a sus primos.

4. (ver) Tú siempre _____ a tu novia los fines de semana pero ayer sábado no la _____.

5. (ir) Marcelo _____ a trabajar todos los veranos en el parque nacional pero el último verano no _____.

6. (dormir) Frecuentemente yo _____ en hoteles baratos pero estas vacaciones _____ en un hotel de cuatro estrellas.

Conexiones Narrating in the past: Preterite and imperfect

3-10 Interrupciones. Haz frases completas en el pasado con los elementos dados, luego escucha las frases correctas.

Modelo: Pablo / sacar fotos/ empezar a llover

Pablo sacaba fotos cuando empezó a llover.

1. mis amigos / estar en el aeropuerto / aterrizar el avión

   _____.

2. haber / mucho viento / nosotras / llegar a la cima de la montaña

   _____.

3. ser / las cinco de la tarde / comenzar a nevar

   _____.

4. yo / tener / quince años / ir a Nicaragua

   _____.

5. ellas / no hablar / español / mudarse a México

   _____.

6. tú / dormir / en el hotel / sonar el teléfono

   _____.

Conexiones Talking about past activities: Verbs that change meaning in the preterite

3-11 **Querer es poder.** Haz frases usando los verbos entre paréntesis en el imperfecto o en el pretérito, luego escucha las frases correctas.

Modelo: Tú (querer) hacer una excursión pero no (poder).

Tú querías hacer una excursión pero no pudiste.

1. Ayer yo (conocer) a Silvina, es muy simpática.

    _____.

2. Ella (conocer) la historia de España muy bien.

    _____.

3. Nosotros (querer) tomar el tren de las ocho pero no (poder).

    _____.

4. Tú (querer) conocer Madrid.

    _____.

5. Yo (tener) que salir temprano porque (tener) que tomar el autobús a las siete.

    _____.

6. Usted (querer) ir a Barcelona pero (ir) a Badalona.

    _____.

Al fin y al cabo

3-12 Vacaciones. Escucha las siguientes preguntas y luego marca la respuesta más lógica.

Modelo: ¿Viajaste en avión?

a. Sí, me gusta Brasil.

b. Sí, siempre. ✓

1. a. Sí, en Río y Bahía.
   b. No, en Brasil.
2. a. Sí, fui a Cuzco y a Machu Picchu.
   b. Sí, las ruinas mayas son impresionantes.
3. a. Simpáticas e inteligentes.
   b. Interesantísimas.
4. a. Sí, iba con mis padres cuando era pequeño.
   b. Sí, muy caro, sobre todo la entrada a las ruinas.
5. a. A veces a Argentina y otras veces a las playas de esta región.
   b. En verano y en invierno.
6. a. Sí, y las maletas también.
   b. No, qué va, sólo el desayuno.
7. a. No, era un vuelo directo.
   b. Sí, pero tuve que pagar extra.
8. a. No tengo cámara de video.
   b. Sí, nadar y también escalar.

3-13 ¡Buen viaje! Escucha la siguiente conversación y luego marca todas las respuestas correctas.

Modelo: La agencia de viajes está en

a. España

b. Miami ✓

c. Estados Unidos ✓

1. La agencia de viajes se llama

a. Buen viaje

b. Viaje feliz

c. Feliz viaje

2. La agente de viajes le ofrece a Martina

a. dos viajes interesantes.

b. solo un viaje a México.

c. solo un viaje a España.

3. El viaje a México

a. es tan largo como el viaje a España.

b. es menos largo que el viaje a España.

c. es más largo que el viaje a España.

4. El viaje a España

a. es de dos semanas.

b. incluye un pasaje de primera.

c. ofrece excursiones a otras ciudades.

5. La excursión a España incluye:

a. Madrid, Barcelona y Sevilla.

b. Toledo, Ávila y Madrid.

c. Madrid y Ávila

6. El precio del

a. viaje a México es tan caro como el viaje a España.

b. viaje a España es más caro que el viaje a México.

c. viaje a México cuesta menos que el viaje a España.

7. Martina prefiere

a. un asiento en el pasillo.

b. la sección de no fumar.

c. las playas.

8. Martina

a. necesita pasaporte.

b. elige el viaje a México.

c. quiere unos folletos.

3-14 ¿Adónde fueron? Escucha la descripción de los viajes de algunas personas y completa la tabla.

NOMBRE	DESTINO	LUGARES VISITADOS	DURACIÓN DEL VIAJE	COMPRAS

Dictado

3-15 Leyenda. Escucha y escribe este fragmento de la leyenda del viento y el sol.

_____

_____

_____

_____

_____

_____

_____

_____

_____

_____

_____

4 Capítulo cuarto
Salud y nutrición

Vocabulario en contexto

4-1 ¿Eres alérgico? Escucha las siguientes afirmaciones y di si son lógicas (L) o ilógicas (I).

Modelo: Respire por las orejas, por favor. – *I* (ilógico)

1. L   I
2. L   I
3. L   I
4. L   I

5. L   I
6. L   I
7. L   I
8. L   I

4-2 En la farmacia. Escucha el siguiente texto y luego marca con una X <u>todas</u> las afirmaciones correctas según el texto.

Conversación A:

1. Liliana
   a. tiene dolor de oídos.
   b. tiene dolor de garganta.
   c. se siente mal.

2. La farmacéutica
   a. le pregunta a Liliana si tiene gripe.
   b. le pregunta si tose.
   c. le dice a Liliana que vea a un médico.

3. A Liliana
   a. no le gusta ir al médico.
   b. le dan un jarabe para la tos.
   c. le duele el pecho.

4. Marcos
   a. se siente mejor.
   b. quiere un antiácido.
   c. tiene dolor de estómago.

Conversación B:

1. Don Juan
   a. se siente mal.
   b. necesita medirse la presión.
   c. quiere que le den una inyección.

2. Alejandro
   a. se rompió una pierna.
   b. necesitó sacarse una radiografía.
   c. es un muchacho muy saludable.

3. Don Juan
   a. tiene la presión normal.
   b. tiene la presión alta.
   c. es el abuelo de Alejandro.

4. La farmacéutica
   a. le pregunta a Don Juan por la familia.
   b. le mide la presión a Don Juan.
   c. le envía saludos a la esposa de Don Juan.

4-3 **¿Sufre de insomnio?** Escucha una serie de preguntas y marca en cada caso la respuesta apropiada.

> **Modelo:** ¿Le duele la cabeza?
>
> a. No, es muy tarde.
>
> b. Sí, y un poco la garganta. ✓

1. a. Sí, y fui a la farmacia también.

   b. Lleva un poco de pan integral y también harina de trigo.

2. a. El dentista está de vacaciones.

   b. Sí, tú el 15 y yo el 18.

3. a. Es igual.

   b. En la olla.

4. a. No, la verdad que no.

   b. Bueno, hago ejercicio dos veces por semana.

5. a. Sí y también lleva una dieta equilibrada.

   b. Sí creo que sí. Comemos comida variada, muchas verduras.

6. a. ¡Uff! Muchísimo.

   b. Voy al médico la semana que viene.

7. a. Quizás, pero también habrá un postre delicioso.

   b. No, no te preocupes.

8. a. No lo sé.

   b. No, no es necesario.

Referencia gramatical 1 Indicating location, purpose, and cause: *Por* vs. *para*

4-4 ¿Por o para? Completa los espacios en blanco con la preposición correcta. Luego escucha las preguntas y las respuestas.

Modelo: ¿*Por* dónde comenzó el dolor?
Por la pierna izquierda.

1. ¿_____ dónde comienzo la visita?

   _____ la sala de emergencia.

2. ¿Cuánto pagó Fernando _____ los medicamentos?

   Pagó unos veinte pesos _____ los medicamentos.

3. ¿_____ qué llora tanto ese niño?

   Pues, _____ que le duele mucho.

4. ¿_____ quién son los antibióticos?

   _____ su compañero de cuarto.

5. ¿_____ cuántos días estuvo en el hospital?

   _____ lo menos una semana.

6. ¿_____ cuándo es la cita con el médico?

   _____ el viernes en la mañana.

7. ¿Qué hizo Gabriel _____ adelgazar?

   Chica, lo que hace todo el mundo _____ adelgazar: una dieta estricta.

8. ¿_____ las dudas le dieron la inyección?

   Sí, _____ las dudas aquí siempre te dan una inyección.

Referencia gramatical 2 Talking to and about people and things: Uses of the definite article

4-5 En la cocina. Completa las frases con el artículo definido cuando sea necesario y luego escucha la frase correcta.

Modelo: Es el cocinero del restaurante.

1. Es _____ cocinera del programa "Cocinando con doña Lola".

2. Buenas tardes, _____ doña Lola.

3. Mucho gusto. Como saben yo soy _____ especialista en comida caribeña.

4. Para comenzar abran _____ libro en _____ página 29.

5. Lean _____ receta.

6. Lávense _____ manos antes de comenzar a cocinar.

7. Pongan _____ preparación en _____ horno.

8. Bueno, hemos terminado. Muchas gracias y hasta ____ próxima _____ doña Lola.

Conexiones Telling people what to do: Formal and informal commands

4-6 **Para estar en forma.** Da las órdenes que tiene que seguir tu compañero/a para estar en forma. Luego escucha las respuestas correctas.

Modelo: Correr por lo menos media hora por semana.

¡Corre por lo menos media hora por semana!

Para mantenerte en forma:

1. Hacer gimnasia dos veces por semana.

   _____.

2. No hacer más de lo que tú puedes.

   _____.

3. No comer mientras haces ejercicio.

   _____.

4. Medirse las pulsaciones.

   _____.

5. No ducharse con agua fría.

   _____.

6. Pedir consejos a la instructora.

   _____.

7. No tomar aire frío.

   _____.

8. No abrir las ventanas del gimnasio.

   _____.

4-7 Mente sana en cuerpo sano. Escucha las preguntas de un amigo y responde escribiendo las respuestas con las claves dadas.

Modelo: ¿Como en restaurantes todos los días? No.

No, no comas en restaurantes todos los días.

1. No, _____.

2. Sí, _____.

3. No, _____.

4. Sí, _____.

5. No, _____.

6. Sí, _____.

7. No, _____.

8. Sí, _____.

4-8 Buena onda, buena forma. Escucha el programa de radio "Buena onda, buena forma" y señala a qué imagen corresponde cada uno de los tres ejercicios.

a

b

c

4-9 Con el veterinario. Tu gato está enfermo. Contesta las preguntas usando las claves dadas.

Modelo: ¿Tengo que darle una inyeccion? – Sí.

Sí, dele una inyección.

1. Sí, _____.

2. No, _____.

3. Sí, _____.

4. No, _____.

5. Sí, _____.

6. No, _____.

4-10 Buena Onda y la comida. Hoy tienes invitados y quieres ofrecerles una tortilla española pero no encuentras la receta. Por suerte, en la emisora de radio Buena Onda tienen un programa de recetas fáciles y tradicionales. Escucha la receta de la tortilla y completa tu receta con los verbos en el imperativo.

Modelo: Hay que batir las claras a nieve.

Bata las claras a nieve.

Para hacer una auténtica tortilla española no tiene más que seguir los siguientes pasos:

Primero

1. _____ las patatas en cubos pequeños y las cebollas en rodajas finas y _____ el aceite en una sartén.

2. _____ las patatas y las cebollas a fuego lento durante cuarenta minutos, hasta que las patatas estén tiernas. _____ a menudo para que no se peguen. No las _____ dorar.

3. _____ las patatas para que quede poco aceite.

4. En un recipiente _____ los huevos y _____ sal. Luego, _____ las patatas y las cebollas cocidas y _____ todo muy bien.

5. Finalmente, _____ una cucharada de aceite en una sartén; _____ la mezcla de huevos, patatas y cebollas y _____ en el fuego cinco minutos de cada lado._____ vuelta con un plato. _____ en cuadrados y _____ tibia. ¡Buen provecho! Y hasta pronto, con más recetas tradicionales y fáciles en Buena Onda, su onda.

4-11 Llegan los invitados. Tus invitados están por llegar y no todo está listo. Por suerte tienes a alguien que te ayuda. Contesta las preguntas según las claves dadas.

Modelo: ¿Pongo la mesa en el jardín?

Sí, ponga la mesa en el jardín, por favor.

¿Saco las sillas?

No, no las saque, gracias.

1. Sí, _____.

2. No, _____.

3. Sí, _____.

4. Sí, _____.

5. No , _____.

6. No, _____.

7. Sí, _____.

8. Sí, _____.

Al fin y al cabo

4-12 Mensajes. Escucha los mensajes telefónicos que recibió la doctora Parrechi y coloca el nombre del paciente en cada una de las recomendaciones de la médica.

Doctora Débora Parrechi Médica Clínica	Doctora Débora Parrechi Médica Clínica	Doctora Débora Parrechi Médica Clínica	Doctora Débora Parrechi Médica Clínica
Nombre del paciente:	Nombre del paciente:	Nombre del paciente:	Nombre del paciente:
Teléfono:	Teléfono:	Teléfono:	Teléfono:
Consejo: Darle una cita para hoy y tomar algo para bajar la fiebre.	Consejo: Darle una cita para la semana próxima y hacerse una prueba de embarazo.	Consejo: Enviarle la dieta de los ejecutivos y el folleto para dejar de fumar. Darle una cita para la semana que viene.	Consejo: Venir al hospital y hacerse una radiografía urgente.

4-13 Restaurante mexicano. Agustina y Miguel, una pareja de españoles va a comer a un restaurante mexicano. Escucha la conversación y luego completa el cuadro.

	Miguel	Agustina
De entrada		
De plato principal		
De postre		
Para beber		

4-14 Encuesta. Una radio local hace una encuesta en la calle para saber si la gente joven lleva una vida sana. Escucha las entrevistas y marca en el cuadro las respuestas afirmativas que da cada persona.

Pregunta	Clara	Inés	Federico
1. ¿Haces ejercicio durante 20 minutos tres veces por semana o más?			
2. ¿Tienes tiempo libre para ti y tus amigos?			
3. ¿Manejas positivamente las situaciones estresantes de tu vida?			
4. ¿Haces un examen médico anual?			
5. ¿Fumas?			
6. ¿Comes fuera de hora dulces, patatas fritas y sodas?			
7. ¿Mantienes tu peso estable sin bajar y subir constantemente?			
8. ¿Tomas por lo menos 8 vasos de agua por día?			

Nombre: _____   **Fecha:** _____

Dictado

4-15 Defensas mentales. Escucha y escribe el fragmento del artículo "La actitud mental: un arma contra la enfermedad".

_____

_____

_____

_____

_____

_____

_____

_____

_____

_____

5 Capítulo cinco
El medio ambiente

Vocabulario en contexto

5-1 Detesto la contaminación. Escucha las siguientes afirmaciones y di si son lógicas (L) o ilógicas (I).

Modelo: En México celebramos la contaminación. – *I* (ilógico)

1. L I	5. L I
2. L I	6. L I
3. L I	7. L I
4. L I	8. L I

5-2 Orientación profesional. Seis estudiantes están pensando en hacer algún tipo de estudio sobre el medio ambiente. Tú debes ayudarlos a encontrar el curso apropiado. Escucha lo que desea cada uno y di qué cursos les convienen.

a. Tema: Nuevas formas de sembrar la tierra y de aprovechar los recursos naturales.
    Lugar: Chile
    Duración: un mes
    Fechas: julio y agosto.

b. Tema: Limpieza de ríos y vías navegables especialmente recuperación de las aguas contaminadas
           por deshechos del petróleo.
    Lugar: México
    Duración: dos semanas
    Fechas: 1 al 15 de julio.

c. Tema: El calentamiento del planeta y la protección de la capa de ozono. El efecto de los aerosoles
           en el calentamiento. El cambio climático y sus consecuencias.
    Lugar: Chile y por Internet. Los cursillos se siguen por Internet y hay un examen final en la ciudad
           de Santiago durante el mes de marzo.

d. Tema: Nuevas tecnologías en las áreas de la ecología, la biosistemática y el comportamiento animal.
           Uso y conservación de los recursos naturales dentro de la problemática ambiental mexicana.
    Lugar: México
    Duración: tres cursillos de dos semanas cada uno.
    Fechas: semestres de otoño, primavera y verano.

e. Tema: El problema del calentamiento. Análisis de las especies animales en vías de extinción. Estudios para la protección de los bosques y otros recursos naturales.

Lugar: España

Duración: un mes

Fechas: todo el año excepto en los meses de julio y agosto.

f. Tema: Nuevas perspectivas en el reciclado de materiales de deshecho. Reaprovechamiento creativo de la basura generada en las casas y viviendas. Nuevos métodos de reutilización del papel y el cartón. Envases ecológicos.

Lugar: España

Duración: 30 horas

Fechas: julio y agosto

5-3 Entretenimientos. Estás esperando para reunirte con la directora de medio ambiente. Escucha las definiciones y decide a qué palabra se refiere cada una.

Modelo: Energía producida por el agua – *energía hidráulica*

1. envase
2. reutilizar
3. cartón
4. recursos naturales

5. basura
6. pila
7. energía solar
8. ecología

Referencia gramatical 1 Distinguishing between people and things: The personal *a*

5-4 ¿Conoces al ministro? Tienes que ayudar a tu amigo con las siguientes frases que prepara para una reunión en el municipio. Lee las siguientes frases y coloca la preposición *a* cuando sea necesario. Luego escucha las frases correctas.

Modelo: Busco _____ la directora.

Busco *a* la directora.

1. Busco _____ soluciones para los problemas ambientales.

2. Busco _____ encargado de recursos naturales.

3. Ese que está allí, es _____ el presidente de la comisión de ecología.

4. Te presento _____ la responsable del medio ambiente del municipio.

5. Te presento _____ al presidente de la comisión de reciclado.

6. Ustedes tienen que escribirle _____ la directora de la fábrica.

7. Les va a hablar _____ la ingeniera Domínguez.

Conexiones Avoiding repetition of nouns: Direct object pronouns

5-5 ¿A qué se refieren? Escucha las siguientes frases y di a que se refieren.

Modelo: Yo la llamo.

a. A la señora Domínguez. ✓

b. Al señor Domínguez.

1. a. A los ingenieros de la fábrica.

   b. A las personas del municipio.

2. a. A los envases.

   b. A la basura.

3. a. A las latas.

   b. A los bosques tropicales.

4. a. A la capa de ozono.

   b. Al medio ambiente.

5. a. A los aerosoles.

   b. A la contaminación.

6. a. A las fábricas.

   b. Al cartón.

5-6 ¿Quién lo hace? En la oficina hay mucho trabajo y tienes que repartir las tareas. Contesta las preguntas usando las claves dadas.

Modelo: ¿Quién llama a Susana? – Yo.

Yo la llamo.

1. Nosotros

   _____.

2. Ustedes

   _____.

3. Yo

   _____.

4. Él

   _____.

5. Yo

   _____.

6. Usted

   _____.

7. Tú

   _____.

8. La directora

   _____.

Conexiones Indicating to whom or for whom actions are done: Indirect object pronouns

5-7 ¿A quién? Tú eres un/a representante de tu comunidad y los ciudadanos te plantean sus gustos y preocupaciones. Escucha las preocupaciones de esta gente y decide a quién se refiere cada frase.

Modelo: Me preocupan los problemas de la ciudad.

a. a mí ✓

b. a nosotros

1. a. a ellas
   b. a nosotras

2. a. a mí
   b. a él

3. a. a ellos
   b. a ti

4. a. a mí
   b. a ellos

5. a. a nosotros
   b. a ellas

6. a. a él
   b. a ellos

7. a. a mí
   b. a ti

8. a. a mí
   b. a ella

5-8 Responsabilidades. Dile a tu ayudante que debe hacer cada una de estas cosas. Escribe lo que tiene que hacer y luego escucha la respuesta correcta.

Modelo: Escribe las cartas. – A mí

Escríbeme las cartas.

1. Da la carta. – Al secretario

   _____.

2. Pide los nuevos envases. – A la fábrica

   _____.

3. Solicita los permisos. – A mí

   _____.

4. Compra los cartones. – A nosotros

   _____.

5. Vende las pilas. – A ellos

   _____.

6. Explica la nueva ley. – A los políticos

   _____.

7. Consigue los basureros. – A ti

   _____.

8. Describe el programa de reciclado. – A ella

   _____.

Conexiones Avoiding repetition of nouns: Double object pronouns

5-9 Repítemelo. Lee las siguientes frases y reemplaza las palabras subrayadas por el pronombre correspondiente. Luego escucha las respuestas correctas.

> **Modelo:** Escríbele las cartas.
>
> *Escríbeselas.*

1. Dale la carta.

   _____.

2. Pídele los nuevos envases.

   _____.

3. Solicítame los permisos.

   _____.

4. Cómpranos los cartones.

   _____.

5. Véndeles las pilas.

   _____.

6. Explícales la nueva ley.

   _____.

7. Consíguete los basureros.

   _____.

8. Descríbele el programa de reciclado.

   _____.

5-10 ¿Me lo explicas? En la oficina hay mucha gente nueva y todos tienen preguntas. Escucha las preguntas y responde usando las claves dadas.

> **Modelo:** ¿Me explicas el nuevo programa?
>
> Sí, *te lo explico.*

1. Sí, _____.
2. No, _____.
3. Sí, _____.
4. No, _____.
5. Sí, _____.
6. No, _____.
7. Sí, _____.
8. No, _____.

5-11 ¿Me lo das? Todo está un poco desorganizado en la oficina y siguen las preguntas. Contesta las preguntas usando las claves dadas.

> **Modelo:** ¿Le das las pilas? No.
>
> *No, no se las doy.*

1. Sí, _____.

2. No, _____.

3. Sí, _____.

4. No, _____.

5. No, _____.

6. Sí, _____.

7. Sí, _____.

Al fin y al cabo

5-12 Econoticia. Escucha una noticia de la radio y di si las afirmaciones son ciertas (C) o falsas (F). Corrige las afirmaciones falsas.

1. Los residuos de las ciudades equivalen al 13% del total de basura. C F
2. El 46% son papeles. C F
3. El 21% es materia orgánica. C F
4. El 11% son plásticos. C F
5. El 5% son residuos textiles. C F
6. El 20% lo componen otros residuos. C F

5-13 Conciencia ecológica. Una radio local hace una encuesta en la calle para conocer los hábitos de la gente. Escucha la encuesta y marca en el cuadro las respuestas afirmativas que da cada persona.

Pregunta	Marta	Cecilia	Ignacio
1. ¿Recicla papeles y cartones?			
2. ¿Recicla el vidrio?			
3. ¿Usa pilas recargables?			
4. ¿Conduce al trabajo?			
5. ¿Usa el transporte público?			
6. ¿Pertenece a algún grupo ecologista?			
7. ¿Sabe cuanta basura produce en una semana?			

5-14 Dialoguitos. Escucha las siguientes frases y di a qué dibujo le corresponde cada una.

1. _____

2. _____

3. _____

4. _____

5. _____

6. _____

Dictado

5-15 Propuestas verdes en España. Escucha la información y escríbela a continuación.

_____

_____

_____

_____

_____

_____

_____

_____

_____

6 Capítulo seis
Los derechos humanos

Vocabulario en contexto

6-1 Es importante salvar al oprimido. Escucha las siguientes oraciones en relación al mundo indígena y los derechos humanos y marca cada una según sea lógica (**L**) o ilógica (**I**).

Modelo: Ojalá destruyan sus templos. – *I* (ilógica)

1. L   I
2. L   I
3. L   I
4. L   I

5. L   I
6. L   I
7. L   I
8. L   I

6-2 Juego de palabras. Escucha esta serie de palabras y marca el opuesto de cada una en la lista a continuación.

Modelo: ganar – *perder*

1. oprimido
2. muerte
3. desafortunadamente
4. igualdad

5. destruir
6. esclavizar
7. impedir
8. derecho

6-3 Definiciones. Escucha las definiciones de las siguientes palabras y di a cuál corresponde cada una.

Modelo: mestizo – *persona cuya raza es una mezcla de indio y de blanco*

a. colaborar
b. las ruinas
c. el rostro
d. el siglo

e. engañar
f. esclavizar
g. la guerra
h. el poder

Referencia gramatical 1 Expressing hope and desire: Present subjunctive of regular and irregular verbs

6-4 **Ojalá.** Escucha las siguientes oraciones y transfórmalas según el modelo.

Modelo: Las naciones no siempre viven en paz.
Ojalá las naciones vivan en paz.
Las autoridades a veces usan la violencia.
Ojalá las autoridades no usen la violencia.

1. Ojalá _____.

2. Ojalá _____.

3. Ojalá _____.

4. Ojalá _____.

5. Ojalá _____.

6. Ojalá _____.

7. Ojalá _____.

8. Ojalá _____.

Referencia gramatical 2 Expressing judgment and feelings: Impersonal expressions with the subjunctive

6-5 **Increíble.** El pueblo quiché es uno de los grupos que más lucha por mantener sus tradiciones milenarias. Escucha las siguientes afirmaciones y transfórmalas según el modelo.

Modelo: Los gobiernos abusan de los pobres.
Es una pena que... *los gobiernos abusen de los pobres.*

1. Es una lástima que _____.

2. Es imposible que _____.

3. Es importante que _____.

4. Es fantástico que _____.

5. Es raro que _____.

6. Es sorprendente que _____.

7. Es interesante que _____.

8. Es posible que _____.

6-6 Es importante. Tú has oído una serie de recomendaciones generales pero las quieres hacer más específicas para que la gente se haga responsable. Escucha las afirmaciones y transfórmalas con el sujeto indicado.

Modelo: Es importante respetar las culturas. – Tú
Es importante que tú respetes las culturas.

1. Es importante luchar por la igualdad. – Yo

_____.

2. Es necesario conocer la situación. – Tú

_____.

3. Es bueno escuchar las sugerencias. – La iglesia

_____.

4. Es aconsejable analizar las reformas. – El presidente

_____.

5. Es posible participar en los cambios. – Nosotros

_____.

6. Es una lástima no comprender. – Ustedes

_____.

7. Es terrible discriminar. – Las autoridades

_____.

8. Es útil interesarse por los problemas. – El gobierno

_____.

Conexiones Giving advice, suggesting, and requesting: Noun clauses

6-7 Propuestas creativas. Ya sabemos del sufrimiento y de la discriminación. Ahora es el momento de proponer soluciones. Escucha las siguientes afirmaciones y transfórmalas según el modelo.

Modelo: No mejoran la explotación de las tierras.
aconsejar- *Aconsejamos que mejoren la explotación de las tierras.*

1. proponer _____.

2. aconsejar _____.

3. recomendar _____.

4. sugerir _____.

5. insistir en _____.

6. esperar _____.

6-8 Reforma constitucional. Aquí tienes algunas propuestas para cambios en la constitución. Escucha las siguientes afirmaciones y transfórmalas según el modelo.

> **Modelo:** Algunos indígenas no deciden su organización social.
>
> pedir— *Pedimos que los indígenas decidan su organización social.*

1. exigir _____.

2. mandar _____.

3. preferir _____.

4. sugerir _____.

5. proponer _____.

6. pedir _____.

7. recomendar _____.

8. insistir en _____.

Conexiones Expressing doubt, denial, and uncertainty: Subjunctive in noun clauses

6-9 El crédulo. Tú siempre crees en todo lo que te dicen. Escucha las siguientes afirmaciones y transfórmalas según el modelo.

> **Modelo:** Los indígenas saben mucho de medicina.
>
> *Creo que los indígenas saben mucho de medicina.*

1. _____.

2. _____.

3. _____.

4 _____.

5. _____.

6-10 El incrédulo. Tú no crees en nada de lo que te dicen. Escucha las siguientes preguntas y contéstalas según el modelo.

> **Modelo:** ¿Los casinos son buenos para las poblaciones indígenas?
>
> *No creo que los casinos sean buenos para las poblaciones indígenas.*

1. _____ .

2. _____ .

3. _____ .

4 _____ .

5. _____ .

6. _____ .

6-11 El inseguro. Tú dudas de todo lo que te dicen. Escucha las siguientes afirmaciones y transfórmalas según el modelo.

> **Modelo:** Cambiar la situación.
>
> Posiblemente *cambie la situación.*

1. Quizás _____ .

2. Posiblemente _____ .

3. Probablemente _____ .

4. Quizás _____ .

5. Tal vez _____ .

6. Quizá _____ .

Al fin y al cabo

6-12 Rigoberta. Escucha la siguiente información sobre Rigoberta Menchú y luego marca todas las afirmaciones según sean ciertas (C) o falsas (F).

Rigoberta Menchú Tum:

1. Nació en Nicaragua.   C   F

2. Es de origen maya.   C   F

3. Se dedica a promover la agricultura indígena.   C   F

4. En su libro habla de las tradiciones de los pueblos incas. C   F

5. En 1992 ganó un premio muy importante.   C   F

6. Trabaja para la Organización de las Naciones Unidas.   C   F

6-13 Día Internacional de las Poblaciones Indígenas.

A. Has recibido esta noticia pero faltan algunas palabras. Escucha y completa los espacios.

CELEBRAN EN NUEVA YORK EL DÍA INTERNACIONAL DE LAS POBLACIONES INDÍGENAS

La (1) _____ del Día Internacional de las Poblaciones (2) _____, (9 de agosto), se iniciará en la sede de las Naciones (3) _____ el jueves 7 del presente mes. La conmemoración será inaugurada con la (4) _____ de la "pipa sagrada", canciones y danzas en honor a las poblaciones indígenas.

La tarde del 7 de agosto se abrirá un panel de (5) _____ sobre la tierra y los (6) _____. Este será moderado por el Centro de (7) _____ Humanos de la ONU e incluirá representantes de (8) _____ indígenas y de agencias de las Naciones Unidas.

El viernes 8 se hará una sesión interactiva de información para los pueblos indígenas en la cual participarán: el Programa de Naciones Unidas para el Desarrollo, el Programa de Naciones Unidas para el (9) _____ _____, la Organización de las Naciones Unidas para la (10) _____, la Ciencia y la Cultura (UNESCO), el Fondo de Naciones Unidas para la Infancia (UNICEF) y el Fondo de Naciones Unidas para el Desarrollo de la Mujer (UNIFEM).

El Día (11) _____ de las Poblaciones Indígenas fue proclamado por la Asamblea General el 23 de diciembre de 1994 y se observó por primera vez en 1995.

En 1993, la Asamblea General proclamó la (12) _____ Internacional de las Poblaciones Indígenas del Mundo. La Década constituye un lapso de tiempo para que las Naciones Unidas, los (13) _____ , las ONGs y otros comités, promuevan y (14) _____ los derechos de sus (15) _____ indígenas y den prioridad a las nuevas funciones de decisión desempeñadas por los indígenas.

B. Ahora reacciona a las noticias transformando las frases que escuches según el modelo.

Modelo: Hay un Día Internacional de las Poblaciones Indígenas.

Es interesante — *Es interesante que haya un Día Internacional de las Poblaciones Indígenas.*

1. Es muy bueno _____.

2. Es extraño _____.

3. Es importante _____.

4. Ojalá _____.

5. Es necesario _____.

6. Esperamos _____.

6-14 Proyecto comunitario. Escucha esta información sobre la FAC (Fundación de Apoyo a Centroamérica) e indica si cada una de las afirmaciones es cierta (C) o falsa (F). Corrige las falsas.

1. La misión de la FAC es apoyar el desarrollo de las naciones de Norteamérica.

2. La misión de la FAC es fortalecer los programas de desarrollo de los pueblos indígenas.

3. La FAC provee programas de capacitación y becas.

4. La FAC provee fondos para viajes.

5. La FAC ayuda con asistencia técnica.

6. La FAC apoya proyectos dirigidos y controlados por las Naciones Unidas.

7. Los proyectos deben enfocarse en los problemas del medio ambiente y en el manejo de los recursos naturales.

8. Otras áreas de interés son la educación y la cultura.

Dictado

6-15 El eclipse. Escucha un fragmento del cuento *El eclipse* y escríbelo a continuación.

_____

_____

_____

_____

_____

_____

_____

_____

_____

_____

7. Capítulo siete
El mundo del trabajo

Vocabulario en contexto

7-1 Felicitaciones, te dieron un ascenso. Escucha las siguientes afirmaciones y di si son lógicas o ilógicas.

Modelo: Felicitaciones, te dieron un ascenso. – *L* (lógico).

1. L   I
2. L   I
3. L   I
4. L   I

5. L   I
6. L   I
7. L   I
8. L   I

7-2 Vengo por el aviso. Escucha la siguiente conversación y marca todas las afirmaciones correctas según la información del diálogo.

1. Carlos Rodríguez

   a. era estudiante.

   b. es estudiante.

   c. busca trabajo.

2. La Sra. Goicochea

   a. trabaja en una empresa de computación.

   b. quiere contratar a la Srta. Rodríguez.

   c. entrevista a Carlos.

3. La empresa

   a. ofrece un buen sueldo.

   b. ofrece plan de retiro.

   c. no necesita analistas de sistema.

4. El Sr. Rodríguez

   a. no tiene experiencia/práctica.

   b. sí tiene experiencia/práctica.

   c. tiene experiencia trabajando en la universidad.

5. El puesto incluye los siguientes beneficios

   a. seguro de vida para toda la familia.

   b. bonificaciones anuales.

   c. seguro de salud.

6. La empresa

   a. hace una evaluación de los empleados cada seis meses.

   b. da aumento cada seis meses.

   c. asciende a todos sus empleados dos veces al año.

7. Al final,

   a. le ofrecen el puesto.

   b. Carlos acepta el puesto.

   c. Carlos va a contestar la semana próxima.

7-3 Palabras claves. Escucha las siguientes frases y di a qué se refieren.

1. Lo saluda atentamente es

   a. _____ b. _____ c. _____

2. El dominio de otros idiomas es

   a. _____ b. _____ c. _____

3. Un papel con los datos de mi vida y de mi experiencia laboral es una

   a. _____ b. _____ c. _____

4. Cuando pido un trabajo pido

   a. _____ b. _____ c. _____

5. Un beneficio laboral es

   a. _____ b. _____ c. _____

6. La persona que solicita un puesto es

   a. _____ b. _____ c. _____

7. La hoja que completo en una agencia de empleos con mis datos es

   a. _____ b. _____ c. _____

8. Obtener un puesto mejor en la empresa donde trabajas es

   a. _____ b. _____ c. _____

Referencia gramatical 1 Talking about generalities and giving information: Impersonal *se*

7–4 Se buscan vendedores. Responde a las siguientes preguntas.

Modelo: ¿Necesitan vendedores?

Sí, se necesitan vendedores.

1. _____.
2. _____.
3. _____.
4. _____.
5. _____.
6. _____.

Referencia gramatical 2 Describing general qualities: *Lo* + adjective

7–5 Lo bueno. ¿Qué es lo esencial de este nuevo trabajo? Contesta las preguntas usando las claves dadas. Luego escucha las respuestas correctas.

Modelo: ¿Qué es lo bueno? Los beneficios.

Lo bueno son los beneficios.

1. ¿Qué es lo bueno? El ambiente de trabajo.

   _____

2. ¿Qué es lo interesante? La posibilidad de crecer.

   _____

3. ¿Qué es lo malo? El trabajo administrativo.

   _____

4. ¿Qué es lo original? Los planes de jubilación.

   _____

5. ¿Qué es lo esencial? La experiencia laboral.

   _____

6. ¿Qué es lo peor? El horario.

   _____

7. ¿Qué es lo más interesante? El salario.

   _____

8. ¿Qué es lo mejor? El trabajo en equipo.

   _____

Conexiones Denying and contradicting: Indefinite and negative words

7-6 Todo lo contrario. Cambia las frases que oyes a su opuesto.

Modelo: Hay alguien en la oficina.

No hay nadie en la oficina.

1. _____.
2. _____.
3. _____.
4. _____.
5. _____.
6. _____.

7-7 ¿Alguien encendió la fotocopiadora? Responde a las siguientes preguntas negativamente según el modelo.

Modelo: ¿Alguien va a solicitar el puesto?

No, nadie va a solicitar el puesto.

1. _____.
2. _____.
3. _____.
4. _____.
5. _____.
6. _____.

7-8 **No, no escriba nada.** Responde a las siguientes preguntas negativamente.

Modelo: ¿Miro algunas solicitudes?

No, no mire ninguna.

1. _____.

2. _____.

3. _____.

4. _____.

5. _____.

6. _____.

Conexiones Describing unknown and nonexistent people and things: Adjective clauses

7-9 **Empresa en problemas.** Una empresa con algunos problemas busca a alguien que los solucione y plantea algunas preguntas. Haz frases según el modelo y luego escucha las respuestas correctas.

Modelo: (nosotros) / buscar / un candidato / resolver / los problemas

Buscamos un candidato que resuelva los problemas.

1. ¿Hay / alguien / estar al tanto / de la nueva política empresarial?

_____.

2. (yo) / conocer / a la persona / poder / mejorar la situación de la empresa

_____.

3. (ustedes) / necesitar / un plan / ser / fácil

_____.

4. (tú) / tener / un aspirante / conocer / los problemas

_____.

5. ¿Haber/ algún aspirante / apoyar / la privatización?

_____.

6. No / haber / ningún empleado / no trabajar / bien

_____.

7-10 Lo que tengo y lo que busco. Tú eres el/la jefe/a de personal de una empresa y te encuentras con aspirantes que no son lo que quieres. Cambia las frases que escuches a su opuesto según el modelo.

Modelo: Tengo un candidato que es tonto.

Busco un candidato que no sea tonto.

1. _____.

2. _____.

3. _____.

4. _____.

5. _____.

6. _____.

7. _____.

8. _____.

7-11 A la búsqueda. Ahora que ya sabes lo que tienes, pides ayuda para conseguir mejores aspirantes. Responde a las preguntas.

Modelo: ¿Conoces algún candidato que sea honesto? No.

No, no conozco a ningún candidato que sea honesto.

1. No, _____.

2. Sí, _____.

3. No, _____.

4. Sí, _____.

5. No, _____.

6. Sí, _____.

Nombre: _____   Fecha: _____

Al fin y al cabo

7-12 Aviso. Mira el siguiente aviso y marca si las afirmaciones que escuchas son ciertas (C) o falsas (F).

1. C   F
2. C   F
3. C   F
4. C   F
5. C   F
6. C   F
7. C   F
8. C   F

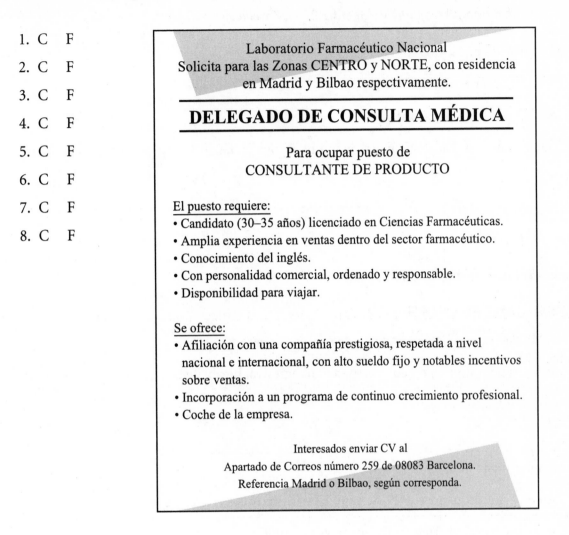

Laboratorio Farmacéutico Nacional
Solicita para las Zonas CENTRO y NORTE, con residencia
en Madrid y Bilbao respectivamente.

DELEGADO DE CONSULTA MÉDICA

Para ocupar puesto de
CONSULTANTE DE PRODUCTO

El puesto requiere:
• Candidato (30–35 años) licenciado en Ciencias Farmacéuticas.
• Amplia experiencia en ventas dentro del sector farmacéutico.
• Conocimiento del inglés.
• Con personalidad comercial, ordenado y responsable.
• Disponibilidad para viajar.

Se ofrece:
• Afiliación con una compañía prestigiosa, respetada a nivel
  nacional e internacional, con alto sueldo fijo y notables incentivos
  sobre ventas.
• Incorporación a un programa de continuo crecimiento profesional.
• Coche de la empresa.

Interesados enviar CV al
Apartado de Correos número 259 de 08083 Barcelona.
Referencia Madrid o Bilbao, según corresponda.

7-13 Astronauta. Nadie es perfecto. Lee los perfiles, escucha los requisitos para el trabajo de astronauta y di cuáles son los requisitos que no cumple cada uno de los candidatos.

Modelo: Ana María:

Piden una persona que tenga entre 27 y 37 y ella tiene 25 años.

Ana María: 25 años, 1,63 m de altura.

Ingeniera: experiencia: dos años

Goza de buena salud, usa gafas.

Resultados de test psicológico: persona muy motivada, flexible y con gran capacidad para

trabajar en equipo.

Disponibilidad para viajar.

Juan Antonio: 28 años, 1,90 m de altura.

Biólogo, experiencia de cuatro años.

Goza de buena salud, tiene un poco de sobrepeso para su altura.

Resultados de test psicológico: personalidad agresiva, flexible y con una excelente memoria.

Disponibilidad para viajar.

José Agustín: 38 años, 1,70 m de altura.

Piloto de avión, con cinco años de experiencia. Sin título universitario.

Goza de buena salud. Tiene muy buena vista y oído.

Resultados de test psicológico: estabilidad emocional, capacidad de trabajo en equipo, nivel

bajo de agresividad, gran flexibilidad.

Sonia: 39 años, 1,50 m de altura.

Informática, experiencia de cuatro años.

Piloto de avión.

Resultados del test psicológico: buena capacidad de razonamiento, memoria y concentración.

Personalidad agresiva e individualista. Muy buenas destrezas manuales.

7-14 ¿Tienes madera de jefe/a? Escucha las situaciones y marca la respuesta que mejor se adapte a tu personalidad.

1. a. Cambias la fecha de la presentación para revisar el proyecto...

    b. Aprovechas la presentación para explicar a tus superiores el error cometido y pides consejo para encontrar una solución...

    c. Realizas la presentación y explicas el error. Si alguien tiene algo que alegar, se dará origen a una discusión...

2. a. Eres un tipo competente, de confianza y siempre sales adelante ante cualquier dificultad. Tu trabajo habla por ti...

    b. Eres brillante en tu trabajo. Tienes un sexto sentido para conseguir lo que quieres...

    c. Eres joven y muy bueno, pero sabes descubrir rápidamente los defectos de los demás y hacérselos ver a las personas adecuadas...

3. a. Los buenos resultados en el trabajo es lo primero para ti, pero son los amigos y la familia los que te dan la fuerza para conseguirlo...

    b. Aunque no sabes exactamente a dónde vas, inviertes tiempo y recursos. Siempre ha de haber riesgo...

    c. Te diviertes cuando alcanzas las metas que te propones en el trabajo y te gusta descansar después de conseguirlas...

4. a. Le escuchas con atención y tratas de encontrar una solución, de manera que su rendimiento se mantenga estable...

    b. Sólo te interesa su problema desde el punto de vista personal. Intentas encontrar una solución duradera...

    c. Le explicas que, según tu experiencia, hay que mantener un equilibrio entre lo personal y lo profesional y que, al final, todo saldrá bien...

5. a. Aunque de cara al exterior haces lo posible para que el equipo brille en su conjunto, sólo aceptas las aportaciones más brillantes...

    b. Un equipo sólo tiene sentido si todos sus miembros colaboran por igual y tienen los mismos derechos...

    c. Tratas de descubrir cuándo alguien está tratando de hacer algo por su cuenta...

6. a. Hubiera sido imposible lograr este resultado sin hacer horas extras. Además han surgido muchos trabajos inesperados...

    b. Atribuyes parte del éxito obtenido a la colaboración de los demás...

    c. Comentas que has hecho bien tu trabajo sin recibir instrucciones desde arriba y que todos tus proyectos han sido satisfactorios. Has sabido repartir tus fuerzas de forma adecuada para obtener un buen resultado...

7. a. Intentas reconducirlo todo de nuevo dando instrucciones precisas a cada miembro del equipo. Las amenazas no son tu estilo...

    b. Eres brillante en tu trabajo. Tienes un sexto sentido para conseguir lo que quieres. Les dejas claro que, a partir de ahora, esperas el máximo rendimiento de ellos y les explicas qué deben hacer exactamente...

    c. Explicas a cada uno las tareas que debe realizar y no ocultas que impondrás tus exigencias...

8. a. Revisas de nuevo tu trabajo y sólo das importancia a las críticas que provienen de personas de la empresa...

    b. Coges el toro por los cuernos y hablas directamente con la gente que tanto te critica...

    c. Tu lema es no ponerte nervioso, pero tampoco bajar la guardia. Intentas averiguar a través de alguien de confianza el origen de las críticas...

9. a. Aceptas el encargo aunque sabes que no llegará a buen término. Al fin y al cabo, lo que cuenta es la buena disposición al enfrentarse al asunto...

    b. Tratas de hacerlo lo mejor posible y anuncias a tu jefe la posibilidad de algún retraso...

    c. Sabes que el trabajo no te va a dar ninguna recompensa, pero tratas de que el resultado deje en buen lugar a los que han participado en la tarea...

10. a. Siempre haces fuera el trabajo creativo de la empresa: cualquier momento es bueno para subir escalones hacia la cima...

    b. Das a la empresa lo mejor de ti durante la jornada laboral. Si la jornada normal no basta es porque tienen un problema de organización...

    c. Tras la jornada sueles ir a tomar algo con compañeros y jefes para puntualizar resultados...

11. a. Si hay algún error, tiene que haber algún responsable. En general, suele bastar con una bronca para que el trabajo siga funcionando...

    b. Los errores sirven para mejorar, sea quien sea el responsable, aunque te sientes fracasado...

    c. Reflexionas en exceso sobre los errores cometidos aunque, en tu opinión, dudar de uno mismo es un buen instrumento de control...

12. a. Realizas un descanso para que la gente se relaje. Si después de esto no se llega a ninguna conclusión, haces valer tu autoridad...

    b. Si se han discutido todos los argumentos sin llegar a un consenso, es hora de dar un puñetazo en la mesa y esgrimir tu posición...

    c. Explicas que los argumentos, aunque parezcan ilógicos, van a reportar beneficios al cliente y que hay que seguir trabajando con ellos...

Nombre: _____   Fecha: _____

Dictado

7-15 Adicto al trabajo. Escucha un fragmento del artículo "El trabajo como adicción" y escríbelo a continuación.

_____

_____

_____

_____

_____

_____

_____

_____

_____

_____

Nombre: _____   Fecha: _____

8 Capítulo ocho
El arte

Vocabulario en contexto

8-1 ¿Qué es? Escucha las definiciones y di a qué palabra se refiere cada una.

Modelo: pintar – *Es lo que hace un pintor.*

a. la luz
b. pintar
c. el taller

d. exponer
e. un pincel
f. un mural

8-2 ¿Qué necesitas? Escucha y di cuál de las cosas mencionadas necesitas para hacer una obra de arte.

Modelo: Para hacer una obra de arte necesitas un pincel.   Sí ✓ No

1. Sí   No
2. Sí   No
3. Sí   No

4. Sí   No
5. Sí   No
6. Sí   No

8-3 Diego Rivera. Escucha este fragmento de la biografía de Diego Rivera y di si las afirmaciones siguientes son ciertas (C) o falsas (F). Corrige las afirmaciones falsas.

Modelo: En 1987 Diego Rivera pintó en edificios públicos.

F. Diego Rivera murió en México en 1957.

1. Diego Rivera regresa a México en 1957.   C   F
2. Rivera intenta fomentar las bellas artes.   C   F
3. En los años veinte comienza a hacer pintura abstracta.   C   F
4. A partir de 1921 Rivera se dedica a pintar en los edificios públicos.   C   F
5. El gobierno mexicano fomento el arte mural.   C   F
6. En los murales representó con realismo la vida de su pueblo.   C   F
7. La historia mexicana no tiene mucha importancia en sus murales.   C   F
8. A Rivera no le interesaban ni la política ni la situación social de su país.   C   F

Referencia gramatical 1 Describing past desires, advice, and doubts: Imperfect subjunctive

8-4 ¿Qué querían? Escucha lo que hacían estas personas cuando eran pequeñas y modifica las frases según el modelo.

Modelo: Nosotros no pintábamos con acuarelas. – Nuestros abuelos

Nuestros abuelos querían que pintáramos con acuarelas.

1. Mis parientes querían...
2. Mi madre quería...
3 Mis profesores querían...
4. Yo quería...
5. Mi abuelo quería...
6. Mis padres querían...

Referencia gramatical 2 Expressing desire and courtesy: Imperfect subjunctive in independent clauses

8-5 ¡Ojalá! Escucha lo que desean estas personas y deséales buenos augurios según el modelo.

Modelo: Quiero pintar como Picasso.

¡Ojalá pintaras como Picasso!

1. _____.
2. _____.
3. _____.
4. _____.
5. _____.
6. _____.
7. _____.
8. _____.

Conexiones Expressing concession and time in the future: Subjunctive in adverbial clauses

8-6 **Famoso.** Escucha las frases y complétalas con los elementos dados. Luego escucha las respuestas correctas.

Modelo: Voy a ser famoso cuando...
Vender muchos cuadros.
Voy a ser famoso cuando venda muchos cuadros.

1. Voy a ser famoso en cuanto...
   Aprender mejor las técnicas.

   _____.

2. Voy a ser famoso tan pronto como...
   Exponer en París.

   _____.

3. Voy a ser famoso en cuanto...
   Vender cuadros en museos.

   _____.

4. Voy a ser famoso mientras...
   Tener mis cuadros en el MOMA.

   _____.

5. Voy a ser famoso después de que...
   Conectarme con artistas famosos.

   _____.

6. Voy a ser famoso cuando...
   Poner mis obras en Internet.

   _____.

8-7 Persevera y triunfarás. Tu amigo es un artista, y él necesita tus consejos. Cambia las frases siguientes según el modelo. Luego escucha las respuestas correctas.

Modelo: Sigue trabajando a pesar de que...
No tener éxito.
Sigue trabajando a pesar de que no tengas éxito.

1. Sigue trabajando a pesar de que...
No vender cuadros.

   _____.

2. Sigue trabajando de modo que...
Volverte un artista de moda.

   _____.

3. Sigue trabajando aun cuando...
No vender tus obras.

   _____.

4. Sigue trabajando aunque...
No ser como Siqueiros.

   _____.

5. Sigue trabajando de manera de...
Aprender mucho.

   _____.

6. Sigue trabajando aunque...
No exponer.

   _____.

Nombre: _____   Fecha: _____

8-8 ¿Cuándo? Un artista quiere saber cuándo le van a ocurrir estas cosas. Completa las frases con los elementos dados y luego escucha las respuestas correctas.

1. Vas a ser famoso cuando...

   Vender muchos cuadros.

   _____.

2. Vas a exponer en Nueva York cuando...

   Escribirle al director del MOMA.

   _____.

3. Vas a tener cuadros en museos cuando...

   Patrocinarte alguien famoso.

   _____.

4. Vas a recibir buenas críticas cuando...

   Descubrirte un periodista.

   _____.

5. Vas a conectarte con artistas famosos cuando...

   Ir a las galerías.

   _____.

6. Vas a ser conocido mundialmente te cuando...

   Hacer una obra maestra.

   _____.

Conexiones Expressing uncertainty, purpose, and condition: Subjunctive in adverbial clauses

8-9 ¿Para qué? Di para qué es importante el arte usando la información que escuches según el modelo.

Modelo: La gente se expresa.

   El arte es importante para que *la gente se exprese.*

1. El arte es importante para que _____.

2. El arte es importante para que _____.

3. El arte es importante para que _____.

4. El arte es importante para que _____.

5. El arte es importante para que _____.

6. El arte es importante para que _____.

8-10 Entrar en un mural. Mira las condiciones bajo las cuales esta persona entraría en un mural y completa las frases según el modelo. Luego escucha las respuestas correctas.

Modelo: No poder salir

Entraría en el mural a menos que no pudiera salir.

1. Entraría en el mural...
   Tener que quedarme.

   _____.

2. Entraría en el mural...
   Tú venir .

   _____.

3. Entraría en el mural...
   Ser peligroso.

   _____.

4. Entraría en el mural...
   Invitarme Rivera.

   _____.

5. Entraría en el mural...
   Explicarme la revolución.

   _____.

6. Entraría en el mural...
   Desaparecer.

   _____.

8-11 Fomentar el arte. Completa las frases con la información dada y luego escucha las respuestas correctas.

1. Habrá arte siempre y cuando...

    El gobierno promociona el arte.

    _____.

2. Habrá arte siempre y cuando...

    No hay censura.

    _____.

3. Habrá arte siempre y cuando...

    Los artistas trabajan libremente.

    _____.

4. Habrá arte siempre y cuando...

    Los materiales no son caros.

    _____.

5. Habrá arte siempre y cuando...

    Los museos abren las puertas.

    _____.

6. Habrá arte siempre y cuando...

    Los medios de comunicación promueven el arte.

    _____.

Al fin y al cabo

8-12 Encuesta callejera. Escucha tres encuestas sobre el arte y completa los casilleros del cuadro siguiente con: **Sí**, **No** o **Depende** según las respuestas de la gente.

Pregunta	Mujer encuesta A	Hombre encuesta B	Mujer encuesta C
El gobierno debe patrocinar el arte			
Se debe censurar el arte			
El papel principal del arte es divertir			
El arte debe reflejar la realidad social			
Los grafitis son una forma de arte.			

8-13 **Noticias de Radio Ondas.** Escucha la información y luego responde a las preguntas.

1. ¿Quién es Manuel Felguérez?

   _____.

2. ¿Qué tipo de arte promueve el nuevo museo?

   _____.

3. ¿Dónde funciona el museo?

   _____.

4. ¿Qué servicios ofrece el museo?

   _____.

5. ¿Cuál es el tema de la primera exposición?

   _____.

6. Felguérez afirma que los artistas deben promover el arte. ¿Y usted qué opina?

   _____.

Dictado

8-14 **Frida.** Escucha este fragmento de la biografía de Frida Kahlo y escríbelo a continuación.

_____

_____

_____

_____

_____

_____

_____

_____

_____

_____

9

Capítulo nueve

La mujer orquesta

Vocabulario en contexto

9-1 La sencillez sencillamente sencilla. Escucha los siguientes sustantivos y da el adjetivo correspondiente.

Modelo: la sencillez – sencillo

1. _____ .
2. _____ .
3. _____ .
4. _____ .
5. _____ .
6. _____ .
7. _____ .
8. _____ .

9-2 ¿Una caricia que camina? Escucha las siguientes afirmaciones y di si son lógicas o ilógicas.

Modelo: La caricia platica con el cónyuge. – *I* (ilógico).

1. L   I
2. L   I
3. L   I
4. L   I

5. L   I
6. L   I
7. L   I
8. L   I

9-3 Te invito. Escucha las siguientes invitaciones y elige la respuesta que te parezca más lógica.

Modelo: ¿Quieres ir al cine esta noche?

        a. Me encantaría pero esta noche no puedo. ✓

        b. Sí, gracias, me encantan los restaurantes chinos.

        c. No, gracias, la música clásica me aburre.

1. a. Gracias. Me encantaría ir al cine contigo.

   b. Sí, como no. ¿Por la mañana te va bien?

   c. No, lo siento. Esta noche no puedo.

2. a. Me encantaría.

   b. Me gustaría mucho pero esta noche no puedo.

   c. No, gracias. A mí el cine no me gusta.

3. a. Lo siento pero me es imposible ir en este momento.

   b. Me gustaría mucho. Lo leo y te lo devuelvo mañana, ¿vale?

   c. ¿Al cine? Perdóname pero esta vez no puede ser. Tengo amigos a cenar.

4. a. Sí, como no. ¿La película empieza a las nueve?

   b. ¿Una conferencia sobre los hombres? Sí, me gustaría mucho.

   c. Me encantaría pero no puedo. No tengo tiempo.

5. a. Gracias, nos encantaría. ¿A qué hora es?

   b. ¡Cuánto lo siento! No puedo aceptar porque tengo mucho trabajo.

   c. Encantada. Lo acepto con mucho gusto.

6. a. Me gustaría mucho. Tú sabes que el campo me encanta.

   b. Lo siento pero tengo que decirte que no. Los chicos están conmigo esta noche.

   c. Sí, como no. Lo leo y te lo devuelvo mañana.

Referencia gramatical 1 **Talking about future activities: Future tense**

9-4 Un futuro prometedor. Escucha las frases siguientes y cámbialas al futuro.

Modelo: Ellas trabajan ocho horas fuera de casa.

Ellas trabajarán ocho horas fuera de casa.

1. _____.

2. _____.

3. _____.

4. _____.

5. _____.

6. _____.

7. _____.

8. _____.

Referencia gramatical 2 **Talking about conditions: Conditional tense**

9-5 Yo querría. Escucha las siguientes frases y cámbialas al condicional.

Modelo: Yo quiero la igualdad entre los sexos.

Yo querría la igualdad entre los sexos.

1. _____.

2. _____.

3. _____.

4. _____.

5. _____.

6. _____.

7. _____.

8. _____.

Conexiones Talking about hypothetical situations in the future: Conditional clauses

9-6 Si quieres algo tendrás que pedirlo. Transforma las frases que escuches según el modelo.

Modelo: Quieres tener niños. Pedimos licencia.

Si quieres tener niños, pediremos licencia.

1. _____.
2. _____.
3. _____.
4. _____.
5. _____.
6. _____.

9-7 Vamos a lograrlo. Transforma las frases que escuches según el modelo.

Modelo: Lo lograremos. Escuchas a los demás.

Vamos a lograrlo si escuchas a los demás.

1. _____.
2. _____.
3. _____.
4. _____.
5. _____.
6. _____.

9-8 Si hay injusticia, defiéndete. Lee las siguientes situaciones y reacciona según el modelo. Después, escucha las respuestas correctas.

> **Modelo:**   Te pagan menos que a tu compañero. Debes hablar con tu jefa.
>
> *Si te pagan menos que a tu compañero, habla con tu jefa.*

1. Hay injusticia. Debes defender tus derechos.

   _____.

2. Tu pareja no quiere que trabajes. Debes buscar una solución.

   _____.

3. Para ti es importante nutrir el alma. Debes hacer actividades que te lo permitan.

   _____.

4. Tu cónyuge no comparte las tareas. Debes hablar con tu pareja.

   _____.

5. Tus hijos piden más caricias. Debes dárselas.

   _____.

6. Alguien no quiere tener niños. Debes respetar sus deseos.

   _____.

Conexiones Discussing contrary-to-fact situations: Conditional clauses

9-9 ¿Irías al cine? Contesta las preguntas según el modelo y luego escucha las respuestas correctas.

> **Modelo:**   ¿Irías al cine? Tengo dinero.
>
> *Iría al cine si tuviera dinero.*

1. ¿Pagarías el mismo salario? Tienen la misma preparación.

   _____.

2. ¿Compartirías las tareas domésticas? Es necesario.

   _____.

3. ¿Defenderías los derechos de la mujer? Encuentro el tiempo.

   _____.

4. ¿Organizarías una conferencia? Me dan el presupuesto.

   _____.

5. ¿Buscarías otro trabajo? Me pagan menos que a los hombres.

   _____.

6. ¿Protestarías ante tu jefa? Veo una injusticia.

   _____.

7. ¿Pagarías un salario a las amas de casa? Cumplen con los requisitos.

   _____.

8. ¿Escribirías una artículo? Sé sobre el tema.

   _____.

9-10 ¿Qué harías? Transforma las frases según el modelo y luego escucha las respuestas correctas.

Modelo: No tengo una familia pequeña. – necesitar comprar una casa

Si tuviera una familia pequeña, no necesitaría comprar otra casa.

1. No me pagan igual que a mis colegas. – protestar ante los jefes

   _____.

2. Los esposos no se aman. – separarse

   _____.

3. El hombre no acaricia a su hijo. – estar triste

   _____.

4. No me relaciono con gente importante. – tener el trabajo actual

   _____.

5. No nutres a los pequeños. – morirse de hambre

   _____.

6. No nos ocupamos de mantener los lazos. – la convivencia ser difícil

   _____.

9-11 Si pudiera. Transforma las frases según el modelo y luego escucha las respuestas correctas.

Modelo: Tengo una casa grande. – tener una familia pequeña

No tendría una casa grande si tuviera una familia pequeña.

1. Desafió a las autoridades. – hay justicia

   _____.

2. Abrazamos a los seres queridos. – no aprender desde pequeños

   _____.

3. Amas a tus familiares. – no tener una buena relación con ellos

   _____.

4. Me acerco a las otras mujeres. – no querer luchar por un ideal

   _____.

5. Concede algunos pedidos. – no considerarlos justos

   _____.

6. Platican con las organizadoras. – no interesarles la causa

   _____.

Al fin y al cabo

9-12 Mujeres de punta y raja. Escucha la descripción de estas cuatro mujeres y completa las fichas con la información correspondiente.

1. Nombre: Ángeles

   Ciudad y país:

   Títulos:

   Idiomas:

   Trabajo actual:

   Situación familiar:

2. Nombre: Inés

   Ciudad y país:

   Títulos:

   Idiomas:

   Trabajo actual:

   Situación familiar:

3. Nombre: Sandra

   Ciudad y país:

   Títulos:

   Idiomas:

   Trabajo actual:

   Situación familiar:

4. Nombre: Lidia

   Ciudad y país:

   Títulos:

   Idiomas:

   Trabajo actual:

   Situación familiar:

9-13 Uso del tiempo por sexo. Escucha la información que nos da el Instituto de la Mujer español. Después, completa el cuadro y contesta las preguntas a continuación.

Uso del tiempo por sexo (en minutos/día)		
	Mujeres	Hombres
Tareas domésticas		90
Trabajo	81	
Estudio		35
Ocio	139	
Comer		72
Cuidado corporal	69	

1. ¿Quién realizó el estudio?

   _____.

2. ¿Quién dedica más tiempo al cuidado corporal?

   _____.

3. ¿En qué pasan menos tiempo las mujeres?

   _____.

4. ¿En qué pasan menos tiempo los hombres?

   _____.

5. ¿En qué pasan más tiempo las mujeres?

   _____.

6. ¿En qué pasan más tiempo los hombres?

   _____.

Nombre: _____   Fecha: _____

9-14 ¿Quién toma las decisiones? Escucha los temas sobre un estudio acerca de la toma de decisiones en las parejas españolas. Marca en el cuadro quién piensas que toma las decisiones. Luego, compara lo que tú piensas con las respuestas del estudio que se encuentran en la sección de respuestas.

Modelo:

	Él	Ella ✓	Ambos
El colegio de los niños			

Tema	Él	Ella	Ambos
1. Administrar el presupuesto familiar.			
2. Ayudar a los niños con los deberes.			
3. Qué ver en la tele.			
4. Llamar a los padres o a los suegros.			
5. Comprar una casa.			
6. Cómo pagar las facturas.			
7. Cuándo comprar electrodoméstico.			
8. Tener invitados en casa.			
9. Dónde ir de vacaciones.			
10. Invertir los ahorros.			

Dictado

9-15 Una gran pérdida. Escucha este fragmento del cuento de Ángeles Mastreta, *Una cabeza para Jane Austen* y escríbelo a continuación.

10 Capítulo diez
La globalización y la tecnología

Vocabulario en contexto

10-1 No te dieron el préstamo, qué bien. Escucha las siguientes afirmaciones y di si son lógicas o ilógicas.

Modelo: Ojalá destruyan sus templos. – *I* (ilógico).

1. L I
2. L I
3. L I
4. L I

5. L I
6. L I
7. L I
8. L I

10-2 Antónimos. Escucha una serie de palabras y marca su opuesto en la lista siguiente.

Modelo: riqueza – pobreza

a. empleo

b. retroceso

c. pagar

d. adelanto

e. dar/conceder un préstamo

f. aumentar

10-3 Al teléfono. Escucha estos minidiálogos e indica cuál es la frase que mejor completa la conversación.

Modelo: —Buenas tardes, ¿está Lucía?

—No, no se encuentra en este momento.

a. —Sí, ahora se pone.

b. —¿Puedo dejarle un recado? ✔

c. —No, no está en este momento.

1. a. —No, no tengo teléfono móvil.

b. —Sí, el prefijo es el 12.

c. —No gracias, vuelvo a llamar más tarde.

2. a. —Si, creo que sí.

b. —No sé su código de área.

c. —La llamaré en otro momento.

3. a. —No, en este momento no se encuentra.

b. —Ya le pongo con él.

c. —¿De parte de quién?

4. a. —El prefijo de Barcelona es el 93.

b. —Hola, soy Rita. Llámame cuando tengas un minuto.

c. —Hola, ¿cómo estás?

Referencia gramatical 1 Expressing outstanding qualities: Superlative and absolute superlative

10-4 ¿Qué te parece? Contesta las preguntas que escuches usando el superlativo. Sigue el modelo a continuación.

Modelo: ¿Qué te parece buscar novio por Internet?

interesante

interesantísimo

1. lento

_____.

2. divertido

_____.

3. malo

_____.

4. práctico

_____.

5. bueno

_____.

6. interesante

_____.

7. triste

_____.

8. aburrido

_____.

Nombre: _____   Fecha: _____

Referencia gramatical 2 Talking about people and things: Uses of the indefinite article

10-5 Planificar. Lee las siguientes frases y transfórmalas según el modelo. Luego escucha las respuestas correctas.

Modelo: Plan de empresa. – Haremos.
Haremos un plan de empresa.

1. Empresa global. – Será.

   _____.

2. Mensaje. – Le dejaremos.

   _____.

3. Aumento de salario. – Pedirán.

   _____.

4. Teléfonos celulares. – Comprarán.

   _____.

5. Sucursales. – Abriré.

   _____.

6. Ventas. – Hará.

   _____.

Conexiones Discussing past actions affecting the present: Present perfect tense

10-6 ¿Y tú? Contesta las preguntas que escuches según el modelo y en base a tu experiencia personal.

Modelo: ¿Has comprado comida por Internet?
Sí/No, no he comprado comida por Internet.

1. _____.
2. _____.
3. _____.
4. _____.
5. _____.
6. _____.

10-7 ¿Qué has hecho? Contesta las preguntas que escuches según el modelo.

  Modelo: ¿Fuiste a México en estas vacaciones?

  No, *no he ido a México en estas vacaciones.*

1. Sí, _____ .

2. No, _____ .

3. Sí, _____ .

4. No, _____ .

5. Sí, _____ .

6. No, _____ .

7. Sí, _____ .

8. No, _____ .

10-8 Yo también. Reacciona ante las siguientes afirmaciones según tu propia experiencia.

  Modelo: Ya leí mi correo electrónico.

  Yo también he leído mi correo electrónico.

  o

  No, todavía no he leído mi correo electrónico.

1. _____ .

2. _____ .

3. _____ .

4. _____ .

5. _____ .

6. _____ .

Conexiones Talking about actions completed before other past actions: Pluperfect tense

10-9 Ya lo había hecho. Escucha lo que habían hecho estas personas antes de venir a la universidad y transforma las frases según el modelo.

> **Modelo:**   Escribí los mensajes.
>
> Antes de venir a la universidad *ya había escrito los mensajes.*

Antes de venir a la universidad ya...

1. _____.

2. _____.

3. _____.

4. _____.

5. _____.

6. _____.

10-10 ¿Antes o después? Mira las fechas de los siguientes inventos y di si las afirmaciones que escuchas son ciertas (C) o falsas (F).

> **Modelo:**   El hombre ya había llegado al polo sur cuando los hermanos Wright volaron por primera vez. – *F*

1901: Marconi realiza la primera transmisión radial.

1903: Los hermanos Wright vuelan por primera vez.

1911: Seis hombres llegan al Polo Sur.

1931: Shoenberg produce un sistema de transmisión de imágenes, la televisión.

1953: Watson y Crick hallan la estructura del ADN.

1954: Se sabe que el hombre tiene su información genética en 46 cromosomas.

1961: Prueban que el cáncer se debe a mutaciones del ADN.

1969: El hombre camina por la luna.

1974: Inventan la tarjeta con memoria.

1979: Nace el primer sistema de telefonía celular.

1987: Se descubre un agujero en la capa de ozono.

1. C   F   4. C   F

2. C   F   5. C   F

3. C   F   6. C   F

Conexiones Linking ideas: Relative pronouns

10-11 ¿Cuál? Une las dos frases que escuches con el pronombre relativo correspondiente. Haz todas las modificaciones que sean necesarias.

Modelo: Ana arregló la computadora. La computadora estaba descompuesta. / que

Ana arregló la computadora <u>que</u> estaba descompuesta.

1. que

_____.

2. quien

_____.

3. cuyos

_____.

4. con que

_____.

5. que

_____.

6. lo cual

_____.

7. quien

_____.

8. de quien

_____.

Al fin y al cabo

10-12 ¿Tienes madera de directivo global? Contesta las preguntas que escuches para saber si tienes las características de un directivo global.

Modelo: ¿Eres independiente y autónomo?

Sí, soy independiente y autónomo.

o

No, no soy independiente ni autónomo.

1. _____.
2. _____.
3. _____.
4. _____.
5. _____.
6. _____.
7. _____.
8. _____.

Si contestas que sí a cinco de estas preguntas tienes muchas posibilidades de ser un buen directivo global. ¡Suerte!

10-13 El Celam. El Consejo Episcopal para América Latina toma una posición frente a la globalización. Escucha algunas de las declaraciones de este grupo de la iglesia católica y di si las siguientes afirmaciones son ciertas (C) o falsas (F).

El Celam sostiene que:

1. La globalización no tiene aspectos positivos.   C   F
2. La globalización puede ser una forma de colonización.   C   F
3. Gracias a los avances tecnológicos hay menos interacción cultural.   C   F
4. La falta de trabajo es una consecuencia de la globalización económica.   C   F
5. La competencia injusta coloca a las naciones más pobres en condiciones de superioridad.   C   F
6. El peso de la deuda externa permite una adecuada inversión en lo social.   C   F
7. Los países desarrollados tienen más horas para el ocio gracias a la globalización.   C   F
8. Los países menos desarrollados tienen más seguridad laboral gracias a la globalización.   C   F

10-14 En la recepción de una empresa. Escucha las conversaciones y marca todas las afirmaciones correctas. Luego corrige las falsas.

1. Nadie puede hablar con la persona que quiere.   C   F
2. Todos hablan con la recepcionista de Multiforma.   C   F
3. La Sra. Pérez Reverte trabaja en el departamento de ventas.   C   F
4. La Sra. Pérez Reverte tiene una secretaria.   C   F
5. La Sra. Pérez Reverte llama a su esposo.   C   F
6. El Sr. Pérez Reverte deja un recado en el contestador de su esposa.   C   F
7. El Sr. Yurquievich trabaja en Multiforma.   C   F
8. El número de teléfono de Multiforma es el 354 2404.   C   F
9. El señor Dumas cuelga el teléfono sin dejar recado.   C   F

Dictado

10-15 Vértigo digital. Escucha un fragmento del artículo y escríbelo a continuación.

_____

_____

_____

_____

_____

_____

_____

_____

_____

_____

11

Capítulo once

Música, cine y televisión

Vocabulario en contexto

11-1 ¡Felicitaciones, un fracaso de taquilla! Escucha las siguientes afirmaciones y di si son lógicas o ilógicas.

Modelo: Te felicito, tu película ha sido un fracaso de taquilla. – *I* (ilógico).

1. L   I
2. L   I
3. L   I
4. L   I

5. L   I
6. L   I
7. L   I
8. L   I

11-2 Definiciones. Escucha las definiciones y di a qué palabra se refieren.

Modelo: pintar: Es lo que hace un pintor.

a. entretener: _____.

b. aplaudir: _____.

c. estrenar: _____.

d. dirigir: _____.

e. ensayar: _____.

f. entregar: _____.

11-3 Entrevista. Escucha las preguntas y marca la respuesta que te parezca más lógica.

Modelo: ¿Su última película es el éxito de la temporada?

a. Sí, me gusta mucho.

b. Sí, pero la letra (no) se entiende bien.

c. No, ha sido un fracaso. ✓

1. a. En el año 1998.

   b. Lucy y Pom.

   c. La mejor de las tres.

2. a. El de la mujer de al borde de un ataque.

   b. No sé, creo que en España o en Estados Unidos.

   c. ¡Oh! Sí, filmar con él es fantástico.

3. a. A veces es un éxito de taquilla.

   b. En teatro y en cine.

   c. En España.

4. a. Penélope Cruz es una excelente actriz.

   b. Con Penélope Cruz y Marisa Paredes.

   c. Dirijo bien a Marisa Paredes.

5. a. Con alguno americano.

   b. Fernando Trueba filma en Estados Unidos.

   c. Antonio Banderas está de moda.

6. a. La obra que presentamos en el Teatro Avenida.

   b. ¡Ámame! Se oye en todas las emisoras.

   c. Ninguna.

Referencia gramatical 1 Indicating who performs the action: Passive voice with *ser*

11-4 ¿Por quién fue dirigida? Mira el anuncio de esta película y contesta las preguntas que escuches en base a la información dada.

Modelo: ¿Por quién fue dirigida la película?

La película fue dirigida por Lucas Radi.

Tormenta en el Moreno

Actores principales

Juan .... MANUEL AGUILAR

Diosa del Glaciar.................... AMPARO CASES

Sandra.................................... MARÍA DE LA GRANJA

Equipo técnico

Guión y dirección................... LUCAS RADI

Asistente de direccion............. MATEO DOUFUR

Director de fotografía............. ROMÁN CORFAS

Director de arte.................... FRANCISCA TOLA

Música ……................……..... HERVETO GAUME

Compaginador...................... ANTONIO GAUME

Productor ejecutivo............... DIEGO RADI

Distribuidor mundial

Raditiago Producciones S.A.

---

1. _____ .

2. _____ .

3. _____ .

4. _____ .

5. _____ .

6. _____ .

Referencia gramatical 2 Substitute for the passive voice: The passive *se*

11-5 Se venden muchos discos. Escucha las frases y transfórmalas según el modelo.

Modelo: Pagamos una productora local.
Se paga una productora local.

1. _____.
2. _____.
3. _____.
4. _____.
5. _____.
6. _____.
7. _____.
8. _____.

Conexiones Expressing what you hoped has happened: Present perfect subjunctive

11-6 ¿Cuándo? Contesta las preguntas con las claves dadas. Luego escucha las respuestas correctas.

Modelo: ¿Cuándo contratarán a los actores? – En cuanto / seleccionar
En cuanto <u>los</u> hayamos seleccionado.

1. ¿Cuándo contratarán al equipo técnico? – Tan pronto como / encontrar

   _____

2. ¿Cuándo filmarán las escenas? – En cuanto / ensayar

   _____

3. ¿Cuándo construirán la escenografía? – Cuando / pintar

   _____

4. ¿Cuándo seleccionarán a los actores? – Después de que / ver

   _____

5. ¿Cuándo alquilarán las filmadoras? – Cuando / conseguir

   _____

6. ¿Cuándo revelarán las películas? – En cuanto / utilizar

   _____

11-7 Problema de comunicación. Lee las preguntas y responde con las claves dadas. Luego escucha las respuestas correctas.

Modelo: ¿Vendrás cuando yo haya terminado? – Ella
No, vendré cuando ella haya terminado.

1. ¿Filmarás cuando nosotros hayamos actuado? – Yo

   _____.

2. ¿Ensayaremos cuando ellas hayan vuelto? – Tú

   _____.

3. ¿Producirá la película cuando tú hayas firmado? – Usted

   _____.

4. ¿Cantarán cuando ellos hayan actuado? – Ella

   _____.

5. ¿Aplaudirá cuando tú hayas actuado? – Nosotras

   _____.

6. ¿Escribirás el guión cuando él te haya dado una idea? – Ustedes

   _____.

Conexiones Expressing what you hoped would have happened: Pluperfect subjunctive

11-8 ¡Qué lástima! Tú filmaste una película y no te fue tan bien como a los demás. Lee lo que hicieron otros y reacciona. Luego escucha las respuestas correctas.

> **Modelo:**   Mis amigos escribieron el guión. – Yo
>
> Ojalá *yo hubiera escrito el guión.*

1. Ellos contrataron a los actores. – Yo

   Ojalá _____.

2. El director le pagó a la productora. – Tú

   Ojalá _____.

3. Nosotros hicimos la escenografía. – Él

   Ojalá _____.

4. Yo filmé los exteriores. – Usted

   Ojalá _____.

5. Ellos ensayaron muchas veces. – Nosotros

   Ojalá _____.

6. La actriz firmó el contrato. – Ellas

   Ojalá _____.

7. El productor comprobó el presupuesto. – Tú

   Ojalá _____.

8. Los actores ensayaron la escena. – Yo

   Ojalá _____.

11-9 Noticias. Lee las noticias de la farándula y reacciona. Luego escucha las respuestas correctas.

Modelo: Antonio Banderas dirigió una película.

Nos alegramos de que *Antonio Banderas hubiera dirigido una película.*

1. El director murió antes del estreno.

   Fue muy triste que _____.

2. La protagonista ganó el Goya.

   Me encantó que _____.

3. Las películas estaban reveladas.

   Dudaba de que _____.

4. La productora organizó todo de maravillas.

   Nos alegró que _____.

5. La obra fue el éxito de la temporada.

   No podía creer que _____.

6. Los actores ensayaron mucho.

   Era importante que _____.

7. Tuvieron problemas con el protagonista antes de filmar.

   Fue muy triste que _____.

8. La canción se escuchaba en todas las discotecas del país.

   Fue increíble que _____.

Conexiones Expressing sequence of events: Sequence of tenses in the subjunctive

11-10 **Ayer, hoy y mañana.** Lee las siguientes oraciones y transforma cada una, utilizando la información incluida como guía. Luego escucha las respuestas correctas.

Modelo: Es importante que veas la obra.
           Era *importante que vieras la obra.*

1. Es importante que aplaudas.

   Era _____.

2. Es increíble que sea un éxito de taquilla.

   Sería _____.

3. Si tenía dinero iba al cine.

   Si tuviera _____.

4. Es necesario que entre en el mundo del espectáculo.

   Será _____.

5. Compongo si tengo ganas.

   Compondría _____.

6. Actuaba como si estuviera en su casa.

   Actuó _____.

7. Llama a la radio en cuanto sabe la noticia.

   Llamará _____.

8. Soy rico, produzco películas.

   Si fuera _____.

11-11 Cada uno a su tiempo. Escucha las frases y luego transfórmalas con las claves dadas.

Modelo: Practicabas todos los días.

Era importante que *practicaras todos los días.*

1. Fue lamentable que _____.

2. Habría sido interesante que _____.

3. Preferiríamos que _____.

4. Nos sorprendió que _____.

5. Sería conveniente que _____.

6. Es bueno que _____.

7. Es increíble que _____.

8. Esperemos que _____.

Al fin y al cabo

11-12 Cartelera. Mira la cartelera y contesta las preguntas que escuches.

PELÍCULAS

Amor vertical

Tipo de película: Drama
Director: Arturo Soto
Argumento: Jorge Perugorría (*Fresa y chocolate;*
Guantanamera) interpreta a un seductor y
Silvia Águila es la muchacha que conquista su
corazón. Una película entretenida y con una
excelente actuación de los protagonistas.
¡A no perdérsela!

Cines, horarios y precios
Cine bar Lumiere
Dirección: Carrera 14 No. 85-59
Teléfono: Reservas 6-36-04-85
Precio: Lunes a viernes $5.000
Fin de semana $ 7.000
Horario: Lunes a domingo 3:30, 6:30 y 8:30
p.m.

Radio City
Dirección: Carrera 13 No. 41-36
Precio: Lunes y miércoles: $ 4.000
Martes y jueves: $ 3.000
Viernes, sábado, domingo y festivos: $ 4.500
Horario: Lunes a sábado 3:30, 6:30 y 9:15 p.m.

1. _____.
2. _____.
3. _____.
4. _____.
5. _____.
6. _____.
7. _____.
8. _____.
9. _____.
10. _____.

11-13 ¿Qué hacemos? Cuatro personas intentan arreglar un programa para el fin de semana. Escucha las conversaciones. Luego escucha las afirmaciones sobre las conversaciones y marca si son ciertas o falsas.

Modelo: Las personas están en el cine. – *F*

Conversación 1

1. C   F   4. C   F
2. C   F   5. C   F
3. C   F   6. C   F

Conversación 2

1. C   F   4. C   F
2. C   F   5. C   F
3. C   F   6. C   F

Dictado

11-14 El mundo en casa. Escucha un fragmento del cuento y escríbelo a continuación.

_____

_____

_____

_____

_____

_____

_____

_____

_____

_____

12. Capítulo doce
El amor y la celebración de la vida

Vocabulario en contexto

12-1 Alegría y felicidad. Marca en la lista el sinónimo de los verbos que escuches.

1. _____   a. ponerse en un problema

2. _____   b. entretenerse

3. _____   c. contar chistes

4. _____   d. festejar

5. _____   e. soportar

6. _____   f. conformarse

12-2 Brindemos por tu felicidad. Escucha las siguientes afirmaciones y marca si son lógicas o ilógicas.

Modelo: Escuchas: ¡Que viva la guerra!

Marcas *I* (Ilógico).

1. L   I   5. L   I
2. L   I   6. L   I
3. L   I   7. L   I
4. L   I   8. L   I

12-3 ¿Y tú? Contesta las preguntas en base a tu propia experiencia y escribe una oración para explicar un poco cada una de tus respuestas.

Modelo: ¿Cuándo celebran su aniversario tus padres?

a. en invierno   b. en verano   c. en primavera   d. en otoño   e. nunca ✓

Oración: *Mis padres están divorciados y no celebran su aniversario.*

1. a. solo   b. con amigos   c. con la familia

_____.

2. a. sí   b. no

_____.

3. a. sí   b. no

_____.

4. a. sí   b. no

_____.

5. a. sí   b. no

_____.

6 a. sí   b. no

_____.

7. a. en invierno   b. en verano   c. en primavera   d. en otoño

_____.

8. a. sí   b. no

_____.

9. a. me encantan b. los detesto   c. más o menos

_____.

Referencia gramatical 1 Describing how things may be in the future: Future perfect

12-4 **La boda.** Contesta las preguntas que escuches siguiendo el modelo.

Modelo: ¿Se habrán casado?
         tener hijos
         Sí, se habrán casado y habrán tenido hijos.

1. encargar el pastel

_____.

2. enviar las invitaciones

_____.

3. contratar al DJ

_____.

4. usar un poco los zapatos

_____.

5. poner las flores en el templo

_____.

6. escribir los votos

_____.

Referencia gramatical 2 Describing a hypothetical situation in the past: Conditional perfect

12-5 Contreras. A estas personas les gusta llevar la contraria. Siempre contradicen que harían a los demás. Escucha cada oración y transfórmala según el modelo.

Modelo: Ella fue a la fiesta patronal sin ti.

Ella no habría ido a la fiesta patronal sin mí.

1. _____ .

2. _____ .

3. _____ .

4. _____ .

5. _____ .

6. _____ .

7. _____ .

8. _____ .

Conexiones Discussing contrary-to-fact situations: If clauses with the conditional perfect and the pluperfect subjunctive

12-6 Si fuera. Escucha las oraciones y cámbialas según el modelo.

Modelo: Si fuera feliz no me separaría.

Si hubiera sido feliz no me habría separado.

1. _____ .

2. _____ .

3. _____ .

4. _____ .

5. _____ .

6. _____ .

12-7 ¿Qué habrías hecho? Tú vives con una familia muy autoritaria pero te rebelas. Contesta las preguntas según el modelo.

> **Modelo:** ¿Qué habrías hecho si te hubieran obligado a casarte?
> *No me habría casado.*

1. _____.

2. _____.

3. _____.

4. _____.

5. _____.

6. _____.

12-8 De haber sabido. ¿Qué harías tú en estas situaciones? Escucha las preguntas y responde según el modelo.

> **Modelo:** ¿Qué habrías hecho de haber conseguido la paz del mundo?
> luchar por mantenerla
> *De haber conseguido la paz del mundo, habría luchado por mantenerla.*

1. hacer un contrato

_____.

2. cambiar la fecha

_____.

3. olvidarla

_____.

4. celebrar

_____.

5. trabajar con ella

_____.

6. luchar por ella

_____.

Nombre: _____   Fecha: _____

Conexiones Expressing sequence of actions: Infinitive after prepositions

12-9 Una reunión perfecta. Escucha las siguientes oraciones en las que Lola te explica qué hace ella para preparar una reunión familiar perfecta. Después, usa esa información para decidir si cada una de las siguientes afirmaciones es cierta (C) o falsa (F).

1. Para preparar una reunión perfecta, Lola no necesita hacer nada especial.   C   F

2. Para encontrar un lugar adecuado, Lola busca locales en Internet.   C   F

3. Para contratar a unos músicos buenos, Lola necesita bastante dinero.   C   F

4. Para coordinar todos los horarios, Lola contrata a una secretaria.   C   F

5. Para asegurarse de que no falta comida, Lola compra mucha fruta.   C   F

6. Para terminar con todos los detalles, Lola busca ayuda profesional.   C   F

12-10 Mi hermano mayor. Tu hermano mayor tiene muchas oportunidades en su vida, pero él y tú son muy diferentes y tú no estás de acuerdo con las decisiones que él toma. Escucha las siguientes oraciones y transforma cada una según el modelo, para indicar lo que tú harías si fueras él.

Modelo: Tu hermano nunca acepta las ofertas de trabajo.

De ser mi hermano, yo aceptaría las ofertas de trabajo.

1. _____.

2. _____.

3. _____.

4. _____.

5. _____.

6. _____.

12-11 Si yo lo hubiera sabido… Muchas veces hacemos cosas que no hubiéramos hecho de haber sabido las consecuencias que tendrían. Escucha las siguientes frases y transforma cada una según el modelo, para expresar lo que tú habrías hecho en cada situación.

Modelo: Yo no jugué con mi hermanito cuando vivía en casa de mis padres.

—mudarte a otro país

Si yo hubiera sabido que me mudaría a otro país, habría jugado con mi hermanito cuando vivía en casa de mis padres.

1. pasar más tiempo con ella
2. prestar más atención en clase
3. despedirme de ellos
4. dejar de fumar
5. mantener una dieta saludable
6. no desesperarme

Al fin y al cabo

12-12 Las celebraciones hispanas. Escucha el siguiente párrafo sobre el modo de celebrar hispano y usa la información que escuches para determinar si cada una de las siguientes oraciones es cierta (C) o falsa (F).

1. A los hispanos sólo les gusta celebrar con ocasión de sus cumpleaños.   C   F

2. La mayoría de las fiestas hispanas están reservadas para los ricos.   C   F

3. Las fiestas mexicanas suelen ser muy alegres y coloridas.   C   F

4. Los habitantes de un pueblo celebran con mucha comida y bebida.   C   F

5. Los pueblos más pobres no tienen recursos para celebrar fiestas.   C   F

6. Los hispanos celebran por cualquier motivo.   C   F

12-13 La Semana Santa. La Semana Santa es una de las celebraciones hispanas más populares en muchos países. Escucha el siguiente anuncio sobre lo que ocurrirá durante la Semana Santa en Sevilla, y utiliza la información que escuches para contestar las siguientes preguntas.

1. ¿Qué entidad va a patrocinar las actividades de la Semana Santa?

   _____.

2. ¿Dónde tendrá lugar la misa del miércoles?

   _____.

3. ¿Quiénes están invitados al festival infantil del jueves?

   _____.

4. ¿A qué hora comenzará la procesión del Viernes Santo?

   _____.

5. ¿Dónde será la comida-merienda del domingo?

   _____.

6. ¿Qué pueden hacer las personas que necesiten mayor información?

   _____.

12-14 Hablemos de ti. Hemos estado hablando del modo de celebrar hispano, pero seguramente a ti te gusta celebrar de una forma diferente a la de los hispanos. Escucha las siguientes preguntas e intenta contestar cada una con tanto detalle como te sea posible. Recuerda que no hay respuestas correctas o incorrectas, son simplemente tus opiniones.

1. _____ .

2. _____ .

3. _____ .

4. _____ .

5. _____ .

6. _____ .

Dictado

12-15 Cleopatra. Escucha este fragmento del cuento *Cleopatra* y escríbelo a continuación.

_____

_____

_____

_____

_____

_____

_____

_____

_____

_____

_____

Capítulo 1
La identidad

Vocabulario en contexto

1-1 ¿Mi hermano es mi primo?

1. L
2. L
3. L
4. L
5. I
6. I
7. I
8. L

1-2 En familia

1. c
2. a
3. b
4. b
5. a
6. a, b
7. a, b
8. b

Conexiones

1-3 ¿Ser o no ser?

1. El padre de Héctor es peruano.
2. El cumpleaños del bisabuelo es el 15 de octubre.
3. Marcos está hablando por teléfono y Fernando está escribiendo las invitaciones.
4. Los platos y las servilletas están allí, sobre la mesa de la cocina.
5. Mis sobrinos están tristes porque mi hermana no está aquí.
6. Hoy es la fiesta en casa de mi nuera. Mis nietos están muy contentos.
7. Mi suegro es serio y sencillo y mi suegra es cariñosa y apasionada.
8. ¿La fiesta es en el club? Es a las seis, ¿verdad?

1-4 ¿Listos?

1. Tu yerno está enfermo.
2. Las sobrinas son malas.
3. Tu suegra es divertida.
4. La tía Carlota está bonita.
5. Tus primos están listos.
6. Mis hijos son listos.
7. El tío Alfonso es feo.
8. Los biznietos están enfermos.

Conexiones

1-5 ¿Mayor o menor?

1. Mariana tiene menos años.
2. Elena es la más alta.
3. Mariana es más inteligente.
4. Elena tiene menos hermanos.
5. Mariana es menos mala.

1-6 Más o menos

1. Pedro es el mayor.
2. Roxana es la menor.
3. Ignacio tiene tantos años como Silvia.
4. Silvia tiene más hijos.
5. Ignacio tiene tantos hijos como Roxana.
6. Silvia vive más lejos.
7. Roxana es la más trabajadora.
8. Pedro es el menos trabajador.
9. Silvia tiene más primos que Ignacio.
10. Ignacio, Pedro y Roxana tienen menos primos que Silvia.
11. Silvia tiene tantos hermanos como Roxana.
12. Ignacio tiene menos hermanos que Pedro.

Referencia gramatical 1

1-7 ¿Cómo son?

1. Mis sobrinos son inteligentes.
2. Mi suegra es abierta.
3. Mi hermano es muy rico.
4. Mi hija es fantástica.
5. Mis primas son muy cariñosas.
6. Mi papá es muy alto.
7. Mis parientes son conservadores.
8. Mi cuñada es vieja.

Referencia gramatical 2

1-8 Cada familia es un mundo.

1. Mi bisabuela mima a sus parientes.
2. Los niños aprenden de los mayores.
3. En nuestra familia nunca compartimos nada.
4. Sus abuelos les permiten todo.
5. Yo cuido a mis sobrinas los fines de semana.
6. Mi yerno no acepta la independencia de mi hija.
7. Mi cuñada vive en el campo.

1-9 Preparativos

1. El cuñado traduce los telegramas del extranjero.
2. La madre de la novia va a la florería.
3. El padre del novio tiene que encargar el vino.
4. Los novios compran los billetes para la luna de miel.
5. Las primas sirven los aperitivos.
6. El abuelo sueña con sus futuros bisnietos.
7. Los amigos contribuyen con las bebidas.
8. Nosotros pensamos en un regalo bonito.

Al fin y al cabo

1-10 Una boda

1. La boda es en Buenos Aires.
2. La boda es el 18 de noviembre.
3. El padre de la novia se llama Román.
4. El yerno de Silvina será Gabriel.
5. La esposa de Gabriel será Lorena.
6. Silvina va a ser la suegra de Gabriel.

1-11 ¿Quién es quién?

1-12 La familia de Lucía

1. Pablo es el papá.
2. Inés es la mamá.
3. Manuel es el hermano menor.
4. Juan es el abuelo.
5. Nelly es la abuela.
6. Agustina es la tía.
7. Lucas es el primo.
8. Santiago es el sobrino.
9. Marcela es la cuñada.

1-13 ¿Quién manda en casa?

"Aquí mando yo"

Los múltiples estudios psicológicos sobre hermanos mayores dan resultados comunes: generalmente, dentro del grupo familiar son los más autoritarios y agresivos. Según Frank Sulloway, los primogénitos crecen sabiendo que son más fuertes y grandes que el resto de sus hermanos, lo que les permite ser más dominantes. Aceptan los valores por los que se guían sus padres, rechazando las ideas nuevas.

Capítulo 2
Relaciones interculturales

Vocabulario en contexto

2-1 ¿Visas con enchiladas?

1. L
2. I
3. I
4. L
5. L
6. I
7. L
8. L

2-2 El español en Estados Unidos

1. Hay menos de treinta millones de hispanos en los Estados Unidos. F
2. En Michigan se concentra el mayor número de hispanos. F
3. California y Nuevo México tienen una gran población hispana. C
4. México es el país con mayor número de hispanos en el mundo. C
5. España tiene menos hispanohablantes que Estados Unidos. F
6. Argentina tiene más hispanohablantes que Colombia. C
7. Estados Unidos tiene más hispanohablantes que Perú. C
8. Estados Unidos va a conservar el español con todas sus variedades. C

2-3 ¿Guatemalteco o dominicano?

Row 2: Rubén / República Dominicana / inglés, alemán y español / Texas / viajar / quedarse poco tiempo en un lugar / la globalización

Row 3: Gloria / Cuba / inglés y español / Florida / bailar / discriminación / la política

Row 4: César / México / español / California / uvas / piscar el algodón / la ropa y la moda

Row 5: Carolina / Puerto Rico / inglés, francés y español / Texas / los platos típicos de diferentes países/ el machismo / la política

Referencia gramatical 1

2-4 Todos los días

1. Todas las mañanas se despierta a las siete y media.
2. Despierta a su esposo y se ducha.
3. Se lava el pelo y se cepilla los dientes.
4. Toma el desayuno con su familia.
5. Un rato más tarde se viste y se maquilla.
6. Su marido y su hija se despiden y se van a sus trabajos.
7. Ella se queda en casa todo el día.

Referencia gramatical 2

2-5 Jorge y Silvia

1. Se conocieron en la frontera.
2. Se entendieron perfectamente.
3. Se enamoraron rápidamente.
4. Se quisieron muchísimo.
5. Se casaron en la primavera.
6. Se enojaron mucho.
7. Se divorciaron en el otoño.
8. Se encontraron en el invierno.
9. Se miraron durante largo rato.
10. Se abrazaron felices.
11. Se besaron con pasión.
12. Se juntaron otra vez.

Conexiones

2-6 ¿Qué pasó?

1. A nosotros se nos olvidaron los pasaportes.
2. A ellas se les perdieron los billetes.
3. A mí se me acabó el dinero.
4. A ti se te rompió la maleta.
5. A ustedes se les venció la visa.
6. A él se le acabaron los formularios.
7. A mí se me cayeron los documentos.
8. A nosotras se nos quemaron las tortillas.

2-7 ¿Se te olvidó?

1. b
2. a
3. a
4. a

2-8 ¿A quién?

1. b
2. b
3. b
4. c
5. b
6. c

Conexiones

2-9 ¡Muchísimo!

1. a
2. b
3. b
4. a

2-10 ¿Te gusta?

1. A mí me molestan las personas racistas.
2. A ti te interesa participar en política.
3. A nosotros nos faltan leyes justas.
4. A ustedes les cae bien el nuevo profesor bilingüe.
5. A usted le cae mal la migra.
6. A ella le encanta hacer y comer tortillas.

2-11 ¿De acuerdo?

	Acuerdo ☺	Desacuerdo ☹
1.		✓
2.	✓	
3.		✓
4.	✓	
5.		✓
6.		✓
7.	✓	
8.		✓

Al fin y al cabo

2-12 Sobre gustos no hay nada escrito.

Row 2 (Juan): Interesar: programas de televisión hispanos

Row 3 (Pablo): Fastidiar: música latina / Fascinar: otras culturas

Row 4 (Santiago): Interesar: programas de televisión hispanos / Encantar: música latina / Fascinar: otras culturas

Row 5 (Pedro): Encantar: música latina / Importar: problemas raciales / Fascinar: otras culturas

Row 6 (Ángeles): Encantar: música latina / Importar: problemas raciales / Fascinar: otras culturas

Row 7 (Ana): Encantar: música latina / Fastidiar: la televisión / Fascinar: otras culturas

2-13 ¡Que desastre de día!

1. C
2. F
3. F
4. C
5. F
6. C
7. F
8. C

2-14 Homenaje a César Chávez

1. La noticia es sobre una ciudad en Texas. ✓
2. César Chávez fue un defensor de los derechos de los hispanos. ✓
3. Un senador se reunió con otros senadores en el ayuntamiento.
4. Lo que quieren es darle el nombre César Chávez a una calle de la ciudad. ✓
5. Más de cien comerciantes están en contra. ✓
6. Los que se oponen dicen que costaría mas de 200.000 dólares.
7. En otras ciudades hubo problemas similares. ✓
8. Más de la mitad de la población de Corpus es mexicoamericana. ✓

2-15 No hablar inglés

Alguien dijo que porque ella es muy gorda, alguien que por los tres tramos de escaleras, pero yo creo que ella no sale porque tiene miedo de hablar inglés, sí, puede ser eso, porque sólo conoce ocho palabras: sabe decir *He not here* cuando llega el propietario, *No speak English* cuando llega cualquier otro y *Holy smokes*. No sé dónde aprendió eso, pero una vez oí que lo dijo y me sorprendió.

Capítulo 3

Trotamundos

Vocabulario en contexto

3-1 ¿Esquiar en la selva?

1. I
2. L
3. I
4. L
5. I
6. L
7. I
8. L

3-2 Mi último viaje

1. Fue a México a la península Ibérica.
2. En Cancún se puede practicar buceo. **C**
3. A las ruinas de Chichén Itzá se llega por carretera. **C**
4. Cozumel es una montaña en Costa Rica.
5. En Cozumel hay playas. **C**
6. En Costa Rica hizo ecoturismo. **C**
7. En Costa Rica estuvo en un hotel de tres estrellas.
8. El parque nacional Tortuguero tiene arrecifes de corales.

3-3 ¿Sección de fumadores?

1. a
2. b
3. a
4. a
5. a
6. a
7. a
8. b

Referencia gramatical 1

3-4 De viaje

1. Salí de viaje el quince de agosto.
2. Abordé el avión por la mañana.
3. Aprovechaste para leer en el barco.
4. Disfrutamos los paisajes.
5. Escalaron una montaña muy alta.
6. Dormí en la tienda de campaña.
7. Hicieron dedo en la carretera.
8. Se quemó con el sol.

Referencia gramatical 2

3-5 ¿Hace mucho?

1. Hace un año que fui a Costa Rica.
2. Hace dos días que me reuní con mis amigos.
3. Hace una semana que hice la reserva.
4. Hace cuatro meses que compré la guía.
5. Hace un rato que me puse el protector.
6. Hace muchos años que aprendí a bucear.
7. Hace unos días que acampé en Tortuguero.
8. Hace dos horas que perdí mi cámara.

Referencia gramatical 3

3-6 Las vacaciones de infancia

1. Nosotros acampábamos cerca del bosque.
2. Mis amigos se divertían en las vacaciones.
3. Mis padres daban paseos cerca del río.
4. Yo dormía una siesta cada día.
5. Mi abuelo y yo íbamos a pescar al lago.
6. En invierno esquiábamos en las montañas.
7. Mi hermana extrañaba su cama.
8. Mi familia siempre se reunía con otras familias.

3-7A El viaje de los González

1. Por la mañana fueron en una excursión a los arrecifes.
2. Ellos salieron con un guía.
3. Hacía calor y no había viento.
4. El guía era una persona muy inteligente y divertida.
5. Por la mañana bucearon en los arrecifes.
6. Por la tarde nadaron en un lago.
7. Marcela tenía una cámara nueva.
8. Cuando bajaban empezó a soplar un viento muy fuerte.

3-7B

1. Por la mañana fueron en una excursión a las montañas. Falso
2. Ellos salieron con un guía. Cierto.
3. Hacía calor y no había viento. Cierto.
4. El guía era una persona muy callada y tímida. Falso.
5. Por la mañana bucearon en los arrecifes. Cierto
6. Por la tarde nadaron en un lago. Falso
7. Marcela tenía una cámara nueva. Cierto
8. Cuando bajaban empezó a soplar un viento muy fuerte. Cierto

3-8 Leyenda quechua

se encontraban: Acción repetida en el pasado
visitaban: Acción repetida en el pasado
llevaba: Descripción
era: Descripción
sopló: Acción completa en el pasado
calentó: Acción completa en el pasado
se quitó: Acción completa en el pasado

3-9 Costumbres

1. Nosotros viajábamos todos los años a Costa Rica pero este año no viajamos.
2. Antes yo siempre recorría los museos nuevos pero en éste no lo recorrí.
3. Ustedes generalmente visitaban a sus padres en las vacaciones pero en estas vacaciones visitaron a sus primos.
4. Tú siempre veías a tu novia los fines de semana pero ayer sábado no la viste.
5. Marcelo iba a trabajar todos los veranos en el parque nacional pero el último verano no fue.
6. Frecuentemente yo dormía en hoteles baratos pero en estas vacaciones dormí en un hotel de cuatro estrellas.

Conexiones

3-10 Interrupciones

1. Mis amigos estaban en el aeropuerto cuando aterrizó el avión.
2. Había mucho viento cuando nosotras llegamos a la cima de la montaña.
3. Eran las cinco de la tarde cuando comenzó a nevar.
4. Tenía quince años cuando fui a Nicaragua.
5. No hablaban español cuando se mudaron a México.
6. Dormías en el hotel cuando sonó el teléfono.

Conexiones

3-11 Querer es poder.

1. Ayer yo conocí a Silvina, es muy simpática.
2. Ella conocía la historia de España muy bien.
3. Nosotros queríamos tomar el tren de las ocho pero no pudimos.
4. Tú querías conocer Madrid.
5. Yo tuve que salir temprano porque tenía que tomar el autobús a las siete.
6. Usted quería ir a Barcelona pero fue a Badalona.

Al fin y al cabo

3-12 Vacaciones

1. b
2. a
3. b
4. a
5. a
6. b
7. b
8. a

3-13 ¡Buen viaje!

1. c
2. a
3. a
4. a, c
5. b
6. b, c
7. b, c
8. a, b, c

3-14 ¿Adónde fueron?

Row 2: Adriana y Fernando Matellán / Guatemala / Tikal, Antigua, iglesia de San Francisco y el claustro de Santa Clara / Una semana / Chaqueta

Row 3: Manuel Parada / México / Biblioteca Nacional, museo, Plaza de las Tres Culturas, Parque de Chapultepec / Diez días / Artesanías

Row 4: Paula, Clara y Graciela / Argentina / Buenos Aires, Teatro Colón, Plaza de Mayo, Patagonia, Perito Moreno / Un mes / Artículos de cuero

Row 5: Paloma y Gustavo / Puerto Rico / El Viejo San Juan, las playas, El Malecón, El Yunque / Cinco días / Camisetas

3-15 Leyenda

El Viento y el Sol se encontraban cada mañana. El Viento llevaba una larga capa, un saco de lana muy gruesa y un sombrero muy grande. El Sol lo veía con sus ojos amarillos, grandes y brillantes. Un día, el Sol y el Viento decidieron medir sus fuerzas. Querían saber cuál de los dos era el más poderoso.

Capítulo 4
Salud y nutrición

Vocabulario en contexto

4-1 ¿Eres alérgico?

1. L
2. L
3. I
4. I
5. L
6. L
7. L
8. I

4-2 En la farmacia

Conversación A: 1.b, c; 2.b, c; 3.a, b, c; 4.b, c
Conversación B: 1.b; 2.b, c; 3.a,c; 4.a, b, c

4-3 ¿Sufre de insomnio?

1.a; 2.b; 3.a; 4.a; 5.b; 6.a; 7.b; 8.a

Referencia gramatical 1

4-4 ¿Por o para?

1. Por la sala de emergencias.
2. Pagó unos veinte pesos por los medicamentos.
3. Pues, porque le duele mucho.
4. Para su compañero de cuarto.
5. Por lo menos una semana.
6. Para el viernes en la mañana.
7. Chica, lo que hace todo el mundo para adelgazar: una dieta estricta.
8. Sí, por las dudas aquí siempre te dan una inyección.

Referencia gramatical 2

4-5 En la cocina

1. Es la cocinera del programa "Cocinando con doña Lola".
2. Buenas tardes, doña Lola.
3. Mucho gusto. Como saben yo soy la especialista en comida caribeña.
4. Para comenzar abran el libro en la página 29.
5. Lean detenidamente la receta.
6. Lávense las manos antes de comenzar a cocinar.
7. Pongan la preparación en el horno.
8. Bueno, hemos terminado. Muchas gracias y hasta la próxima doña Lola.

Conexiones

4-6 Para estar en forma

1. ¡Haz gimnasia dos veces por semana!
2. ¡No hagas más de lo que tú puedes!
3. ¡No comas mientras haces ejercicio!
4. ¡Mídete las pulsaciones!
5. ¡No te duches con agua fría!
6. ¡Pide consejos a la instructora!
7. ¡No tomes aire frío!
8. ¡No abras las ventanas del gimnasio!

4-7 Mente sana en cuerpo sano

1. No, no duermas sólo cinco horas.
2. Sí, come ensalada todos los días.
3. No, no fumes.
4. Sí, pide una cita con la cardióloga.
5. No, no tomes pastillas para el insomnio.
6. Sí, haz ejercicios de relajación.
7. No, no trabajes doce horas.
8. Sí, hazme caso.

4-8 Buena onda, buena forma

Primer ejercicio: b
Segundo ejercicio: c
Tercer ejercicio: a

4-9 Con el veterinario

1. Sí, llévelo al consultorio.
2. No, no lo duerma.
3. Sí, tómele la temperatura.
4. No, no continúe con los antibióticos.
5. Sí, dele mucha agua.
6. No, no lo deje sin comer.

4-10 Buena Onda y la comida

1. Corte, caliente
2. Cocine, Muévalas, deje
3. Escurra
4. bata, agregue, añada, mezcle
5. ponga, eche, déjela, Dele, Córtela, sírvala

4-11 Llegan los invitados.

1. Sí, abra las ventanas, por favor.
2. No, no coloque las bebidas afuera, gracias.
3. Sí, prepare los platos, por favor.
4. Sí, caliente el pollo, por favor.
5. No, no ponga las flores sobre la mesa, gracias.
6. No, no haga la ensalada, gracias.
7. Sí, cocine los pasteles, por favor.
8. Sí, corte la tortilla, por favor.

Al fin y al cabo

4-12 Mensajes

Box 1: Doctora Débora Parrechi
Médica Clínica
Nombre del paciente: Lucía Benavídez
Teléfono: 289 7564.
Consejo: Darle una cita para hoy y tomar algo para bajar la fiebre.

Box 2: Doctora Débora Parrechi
Médica Clínica
Nombre del paciente: Marta Ruiz
Teléfono: 654 2404
Consejo: Darle una cita para la semana próxima y hacerse un test de embarazo.

Box 3: Doctora Débora Parrechi
Médica Clínica
Nombre del paciente: Francisco Cuevas
Teléfono: 257 2794
Consejo: Enviarle la dieta de los ejecutivos y el folleto para dejar de fumar. Darle una cita para la semana que viene.

Box 4: Doctora Débora Parrechi
Médica Clínica
Nombre del paciente: Manuel Aguilar
Teléfono: 781 2863
Consejo: Venir al hospital y hacerse una radiografía urgente.

4-13 Restaurante mexicano

Row 2: caldo de cola de buey / quesadillas de carne
Row 3: mole / mole
Row 4: flan / arroz con leche
Row 5: vino tinto y agua mineral / cerveza

4-14 Encuesta

1. no / sí / sí
2. sí / sí / no
3. sí / no / no
4. no / sí / sí
5. no / sí / no
6. sí / no / sí
7. sí / no / no sabe
8. no / sí / sí

4-15 Defensas mentales

La actitud mental: un arma contra la enfermedad

La primera arma en la lucha contra la enfermedad es una buena actitud mental. El estado psicológico de la persona y su forma de responder al estrés pueden influir directamente en el desarrollo de varias enfermedades de carácter inmunológico e infeccioso, como las alergias y el SIDA e incluso otro tipo de dolencias, como el cáncer.

Capítulo 5
El medio ambiente

Vocabulario en contexto

5-1 Detesto la contaminación.
1. L
2. L
3. I
4. I
5. L
6. L
7. L
8. I

5-2 Orientación profesional
1. e
2. d
3. a
4. f
5. b
6. c

5-3 Entretenimientos
1. e
2. d
3. h
4. b
5. g
6. f
7. a
8. c

Referencia gramatical 1

5-4 ¿Conoces al ministro?
1. Busco soluciones para los problemas ambientales.
2. Busco al encargado de recursos naturales.
3. Ese que está allí, es el presidente de la comisión de ecología.
4. Te presento a la responsable del medio ambiente del municipio.
5. Te presento al presidente de la comisión de reciclado.
6. Ustedes tienen que escribirle a la directora de la fábrica.
7. Les va a hablar la ingeniera Domínguez.

5-5 ¿A qué se refieren?

1. a
2. a
3. b
4. b
5. b
6. a

5-6 ¿Quién lo hace?

1. Nosotros los llevamos.
2. Ustedes la escriben.
3. Yo los llevo.
4. Él la saca.
5. Yo te llamo.
6. Nosotras lo compramos.
7. Tú la ves.
8. La directora los acompaña a ver los bosques.

Conexiones

5-7 ¿A quién?

1. b
2. b
3. b
4. b
5. a
6. a
7. b
8. a

5-8 Responsabilidades

1. Dale la carta.
2. Pídele los nuevos envases.
3. Solicítame los permisos.
4. Cómpranos los cartones.
5. Véndeles las pilas.
6. Explícales la nueva ley.
7. Consíguete los basureros.
8. Descríbele el programa de reciclado.

Conexiones

5-9 Repítemelo.

1. Dásela.
2. Pídeselos.
3. Solicítamelos.
4. Cómpranoslos.
5. Véndeselas.
6. Explícasela.
7. Consíguetelos.
8. Descríbeselo.

5-10 ¿Me lo explicas?

1. Sí, se los traigo.
2. No, no me los leo.
3. Sí, se las escribo.
4. No, no se las consigo.
5. Sí, te las presto.
6. No, no se los vendemos.
7. Sí, se lo fabrican.
8. No, no te los doy.

5-11 ¿Me lo das?

1. Sí, te los doy.
2. No, no se los doy.
3. Sí, se las explico.
4. No, no se la muestro.
5. No, no se lo reaprovechan.
6. Sí, se los conservamos.
7. Sí, me los compro.

Al fin y al cabo

5-12 Econoticia

1. Falso. Los residuos generados en las ciudades equivalen al 15% del total de basura.
2. Falso. El 21% son papeles.
3. Falso. El 46% es materia orgánica.
4. Cierto.
5. Cierto.
6. Falso. El 17% lo componen otros residuos.

5-13 Conciencia ecológica

1. Cecilia / Ignacio
2. Marta / Cecilia / Ignacio
3. Ignacio
4. Ignacio
5. Marta / Cecilia
6. Marta / Ignacio
7. Cecilia

5-14 Dialoguitos

1. e
2. a
3. g
4. b
5. d
6. c

5-15 Propuestas verdes en España

En Barcelona o Madrid, cada persona produce en promedio un kilogramo de basura por día. Esto preocupa a las autoridades y por eso proponen algunas soluciones.

En Leganés, cerca de Madrid y en Sabadell, cerca de Barcelona, la basura se tira en buzones, va a parar a unos contenedores bajo tierra y unos ventiladores la trasladan a una central.

Si te interesa este tipo de información puedes consultar la siguiente página de Internet: www.verdes.es

Capítulo 6
Los derechos humanos

Vocabulario en contexto

6-1 Es importante salvar al oprimido.

1. L
2. I
3. L
4. I
5. I
6. I
7. I
8. L

6-2 Juego de palabras

1. c
2. d
3. g
4. f
5. b
6. e
7. h
8. a

6-3 Definiciones

a. 4
b. 5
c. 3
d. 1
e. 2
f. 8
g. 6
h. 7

Referencia gramatical 1

6-4 Ojalá

1. Ojalá los gobiernos no usen la violencia.
2. Ojalá la gente respete las costumbres indígenas.
3. Ojalá las naciones prohíban la tortura.
4. Ojalá el ejército no gobierne los países.
5. Ojalá la iglesia acepte las creencias populares.
6. Ojalá llegue la paz a todo el mundo.
7. Ojalá el poderoso valore a los indígenas.
8. Ojalá los pueblos se comprendan unos a otros.

Referencia gramatical 2

6-5 Increíble

1. Es una lástima que los quichés pierdan las tradiciones.
2. Es imposible que los sacerdotes hagan sacrificios.
3. Es importante que ellos conserven sus costumbres.
4. Es fantástico que la comunidad viva en armonía.
5. Es raro que la iglesia imponga sus ideas.
6. Es sorprendente que los indígenas continúen con sus ritos.
7. Es interesante que los quichés conozcan el juego de pelota.
8. Es posible que ellos sean libres.

6-6 Es importante. . .

1. Es importante que yo luche por la igualdad.
2. Es necesario que tú conozcas la situación.
3. Es bueno que la iglesia escuche las sugerencias.
4. Es aconsejable que el presidente analice las reformas.
5. Es posible que nosotros participemos en los cambios.
6. Es una lástima que ustedes no comprendan.
7. Es terrible que las autoridades discriminen.
8. Es útil que el gobierno se interese por los problemas.

Conexiones

6-7 Propuestas creativas

1. Proponemos que soliciten créditos para mejorar la agricultura.
2. Aconsejamos que creen escuelas en sus propias lenguas.
3. Recomendamos que organicen cooperativas.
4. Sugerimos que vendan sus productos en las ciudades.
5. Insistimos en que organicen sus propios gobiernos.
6. Esperamos que puedan explicar su situación.

6-8 Reforma constitucional

1. Exigimos que el gobierno respete los derechos humanos.
2. Mandamos que las comunidades elijan a sus autoridades.
3. Preferimos que los pueblos ejerzan el gobierno de acuerdo con sus normas.
4. Sugerimos que las minorías fortalezcan su participación política.
5. Proponemos que las poblaciones accedan al uso de los recursos naturales.
6. Pedimos que los pueblos preserven sus lenguas.
7. Recomendamos que los indígenas enriquezcan sus conocimientos.
8. Insistimos en que las poblaciones administren sus propios medios de comunicación.

Conexiones

6-9 El crédulo

1. Creo que en nuestro país no hay minorías indígenas.
2. Creo que acá se respetan los grupos minoritarios.
3. Creo que todos tenemos costumbres y tradiciones.
4. Creo que las lenguas conservan la identidad de los pueblos.
5. Creo que la cultura se transmite de generación a generación.

6-10 El incrédulo

1. No creo que haya muchas escuelas bilingües en nuestro estado.
2. No creo que las minorías tengan sus propias tradiciones.
3. No creo que siempre respetemos las costumbres de los otros.
4. No creo que los gobiernos busquen el bienestar del pueblo.
5. No creo que en nuestro país respetemos a todos los grupos minoritarios.
6. No creo que la discriminación disminuya día a día.

6-11 El inseguro

1. Quizás mejore la situación.
2. Posiblemente cambien las leyes.
3. Probablemente se encuentren soluciones
4. Quizás se organicen mejor.
5. Tal vez terminen los problemas.
6. Quizá vivan todos en paz.

Al fin y al cabo

6-12 Rigoberta

1. F
2. C
3. F
4. F
5. C
6. C

6-13 Día Internacional de las Poblaciones Indígenas

A.

1. celebración; 2. Indígenas; 3. Unidas; 4. ceremonia;
5. discusión; 6. recursos naturales; 7. Derechos;
8. organizaciones; 9. Medio Ambiente; 10. Educación;
11. Internacional; 12. Década; 13. gobiernos;
14. protejan; 15. poblaciones

B.

1. Es muy bueno que exista el Día Internacional de las Poblaciones Indígenas.
2. Es extraño que hagan una ceremonia de la "pipa sagrada".
3. Es importante que participen la UNICEF, UNESCO y la UNIFEM.
4. Ojalá la Década Internacional de las Poblaciones Indígenas del mundo sea un éxito.
5. Es necesario que participen muchas organizaciones internacionales.
6. Esperamos que den prioridad a las decisiones de los comités.

6-14 Proyecto comunitario

1. C.
2. C.
3. C.
4. F. La FAC provee programas de capacitación, becas y asistencia técnica.
5. C.
6. F. Apoya proyectos dirigidos y controlados por comunidades y organizaciones indígenas.
7. C.
8. C.

6-15 El eclipse

"Al despertar se encontró rodeado por un grupo de indígenas de rostro impasible que se disponía a sacrificarlo ante un altar, un altar que a Bartolomé le pareció como el lecho en que descansaría, al fin, de sus temores, de su destino, de sí mismo.

Tres años en el país le habían conferido un mediano dominio de las lenguas nativas. Intentó algo. Dijo algunas palabras que fueron comprendidas."

Capítulo 7
El mundo del trabajo

Vocabulario en contexto

7-1 Felicitaciones, te dieron un ascenso.

1. I
2. I
3. L
4. L
5. I
6. I
7. L
8. I

7-2 Vengo por el aviso.

1. a, c
2. a, b, c
3. b
4. b
5. b, c
6. a
7. a, c

7-3 Palabras claves

1. a
2. c
3. a
4. a
5. b
6. c
7. c
8. a

Referencia gramatical 1

7-4 Se buscan vendedores.

1. Sí, se buscan arquitectos.
2. Sí, se aceptan solicitudes.
3. Sí, se otorgan aumentos.
4. Sí, se dan entrevistas.
5. Sí, se exige dominio del inglés.
6. Sí, se contrata gente.

Referencia gramatical 2

7-5 Lo bueno

1. Lo bueno es el ambiente de trabajo.
2. Lo interesante es la posibilidad de crecer.
3. Lo malo es el trabajo administrativo.
4. Lo original son los planes de jubilación.
5. Lo esencial es la experiencia laboral.
6. Lo peor es el horario.
7. Lo más interesante es el salario.
8. Lo mejor es el trabajo en equipo.

Conexiones

7-6 Todo lo contrario

1. Hay algunas cartas.
2. Vino alguien.
3. Aquí siempre se trabaja.
4. Nadie llegó a la reunión.
5. No hay ni una aspirante inglesa ni una francesa.
6. Alguien solicitó el puesto.

7-7 ¿Alguien encendió la fotocopiadora?

1. No, tampoco dan vacaciones en invierno.
2. No, no tienen nada para ofrecer.
3. No, ninguno de nosotros conoce a la jefa.
4. No presiones ni este botón ni el otro.
5. No, nunca tengo tanta confianza.
6. No, nadie está haciendo las fotocopias.

7-8 No, no escriba nada.

1. No, no lea ninguna solicitud.
2. No, no entreviste a nadie.
3. No, no llame ni a la aspirante ni al aspirante.
4. No, no lea ningún currículum.
5. No, no entreviste a nadie.
6. No, tampoco envíe la hoja de vida.

Conexiones

7-9 Empresa en problemas

1. ¿Hay alguien que esté al tanto de la nueva política empresarial?
2. Conozco a la persona que puede mejorar la situación de la empresa.
3. Necesitan un plan que sea fácil.
4. Tienes un aspirante que conoce los problemas.
5. ¿Hay algún aspirante que apoye la privatización?
6. No hay ningún empleado que no trabaje bien.

7-10 Lo que tengo y lo que busco

1. Buscamos un candidato que apoye los programas sociales.
2. Buscan un candidato que resuelva problemas.
3. Buscas un empleado que cumpla el contrato.
4. Busco un jefe que me apoye.
5. Buscamos unos sindicatos que establezcan reglas claras.
6. Buscan un equipo que trabaje.
7. Buscamos un presidente que se preocupe por la protección del medio ambiente.
8. Buscamos una empresa que pague los impuestos.

7-11 A la búsqueda

1. No, no hay ningún candidato que controle el desempleo.
2. Sí, conozco a un estudiante que se interesa por el puesto.
3. No, no conozco a ningún aspirante que domine otros idiomas.
4. Sí, hay un aspirante que tiene experiencia.
5. No, no hay ningún empleado que quiera irse de la empresa.
6. Sí, conozco un director que resuelve los problemas.

Al fin y al cabo

7-12 Aviso

1. C
2. C
3. F – Entre 30 y 35 años
4. F – Es imprescindible tener experiencia.
5. F – Sólo inglés.
6. C
7. C
8. F – Sólo un CV.

7-13 Astronauta

Ana María: Tiene 25 años y buscan a alguien que tenga entre 27 y 37 años. Buscan a alguien que tenga experiencia de tres años y Ana María tiene solo dos años. Quieren a alguien que no tenga problemas de vista y ella usa gafas.

Juan Antonio: Buscan a alguien que tenga un peso adecuado para su altura y él tiene un poco de sobrepeso. Quieren a alguien que no sea agresivo y él tiene una personalidad agresiva.

José Agustín: Buscan a alguien que tenga entre 27 y 37 años y él tiene 38 años. Buscan a alguien que tenga un título universitario y él no tiene título.

Sonia: Tiene más años de los que piden. Buscan a alguien con un bajo nivel de agresividad y ella tiene una personalidad agresiva.

7-14 ¿Tienes madera de jefe/a?

Open answers

7-15 Adicto al trabajo

La adicción al trabajo cuenta con la mejor de las publicidades de este mundo. En primer lugar, cumplir con el trabajo es una virtud. ¿Dónde está la frontera entre el deber de realizar bien el trabajo y comenzar a usarlo como gran justificación de las frustraciones a las que sometemos a los demás? "Trabaja demasiado" es una disculpa que cuenta con todo el beneplácito social.

Capítulo 8
El arte

Vocabulario en contexto

8-1 ¿Qué es?

1. e
2. b
3. f
4. c
5. a
6. d

8-2 ¿Qué necesitas?

1. No
2. Sí
3. No
4. Sí
5. No
6. Sí

8-3 Diego Rivera

1. F – Diego Rivera regresa a México en 1921.
2. C
3. F – En los años veinte comienza a pintar murales.
4. C
5. C
6. C
7. F – La historia mexicana tiene mucha importancia en sus murales.
8. F – A Rivera le interesaban la política y la situación social de su país.

Referencia gramatical 1

8-4 ¿Qué querían?

1. Mis parientes querían que mis hermanas cantaran/cantasen.
2. Mi madre quería que yo leyera/leyese novelas.
3. Mis profesores querían que mis amigos trabajaran/trabajasen mucho en la escuela.
4. Yo quería que mis profesores me enseñaran/enseñasen a pintar.
5. Mi abuelo quería que yo tocara/tocase un instrumento.
6. Mis padres querían que yo fuera/fuese a los museos.

Referencia gramatical 2

8-5 ¡Ojalá!

1. ¡Ojalá representaras la realidad social!
2. ¡Ojalá apreciáramos el arte popular!
3. ¡Ojalá fomentara el arte público!
4. ¡Ojalá inauguraras una exposición de Orozco!
5. ¡Ojalá patrocinaran un concurso de arte!
6. ¡Ojalá mostráramos la realidad!
7. ¡Ojalá influyeras en tus estudiantes!
8. ¡Ojalá retratara a sus amigos!

Conexiones

8-6 Famoso

Voy a ser famoso...

1. en cuanto aprenda mejor las técnicas.
2. tan pronto como exponga en París.
3. en cuanto venda cuadros en museos.
4. mientras tenga mis cuadros en el MOMA.
5. después de que me conecte con artistas famosos.
6. cuando ponga mis obras en Internet.

8-7 Persevera y triunfarás.

Sigue trabajando...

1. a pesar de que no vendas tus cuadros.
2. de modo que te vuelvas un artista de moda.
3. aun cuando no vendas tus obras.
4. aunque no llegues a ser como Siqueiros.
5. de manera que aprendas mucho.
6. aunque no expongas.

8-8 ¿Cuándo?

1. Vas a ser famoso cuando vendas muchos cuadros.
2. Vas a exponer en Nueva York cuando le escribas al director del MOMA.
3. Vas a tener cuadros en museos cuando te patrocine alguien famoso.
4. Vas a recibir buenas críticas cuando te descubra un periodista.
5. Vas a conectarte con artistas famosos cuando vayas a las galerías.
6. Vas a ser conocido mundialment cuando completes una obra meastra.

Conexiones

8-9 ¿Para qué?

1. El arte es importante para que disminuya el estrés.
2. El arte es importante para que los artistas expresen sus ideas.
3. El arte es importante para que se puedan expresar los sentimientos.
4. El arte es importante para que refleje la realidad social.
5. El arte es importante para que la gente se divierta.
6. El arte es importante para que el espíritu se desarrolle.

8-10 Entrar en un mural

1. Entraría en el mural a menos que tuviera que quedarme.
2. Entraría en el mural con tal que tú vinieras.
3. Entraría en el mural a no ser que fuera peligroso.
4. Entraría en el mural en caso de que me invitara Rivera.
5. Entraría en el mural para que me explicaran la revolución.
6. Entraría en el mural antes que desapareciera.

8-11 Fomentar el arte

1. Habrá arte siempre y cuando el gobierno promocione el arte.
2. Habrá arte siempre y cuando no haya censura.
3. Habrá arte siempre y cuando los artistas trabajen libremente.
4. Habrá arte siempre y cuando los materiales no sean caros.
5. Habrá arte siempre y cuando los museos abran las puertas.
6. Habrá arte siempre y cuando los medios de comunicación promuevan el arte.

Al fin y al cabo

8-12 Encuesta callejera

Row 2: Depende / Sí / No
Row 3: No / No / No
Row 4: Sí / No / Depende
Row 5: No / Sí / Sí
Row 6: No / Sí / Sí

8-13 Noticias de Radio Ondas

1. Es un promotor del arte y el nuevo director de un museo.
2. El museo promueve el arte abstracto.
3. El museo funciona en una antigua iglesia y seminario.
4. El museo ofrece los servicios de cafetería, tienda y sala para exposiciones temporales.
5. El tema de la primera exposición es el arte de Felguérez desde los años cincuenta.
6. Sí. Yo opino que... (open answer)

8-14 Frida

Considerada hoy día como la pintora más importante de la historia del arte latinoamericano moderno, Frida Kahlo comenzó su obra creativa en los tumultuosos años posrevolucionarios, cuando se gestaba el movimiento muralista. Sin embargo, en vez de seguir los objetivos de la escuela muralista de pintura, Frida Kahlo creó su propio universo artístico, un espacio catártico, rebelde, íntimo y solitario, en el cual ella exploró varios aspectos de la sociedad hispana que se consideraban –y hasta cierta medida todavía se siguen considerando– temas tabúes para la mujer: entre otros, la sexualidad, la violencia y el erotismo.

Capítulo 9
La mujer orquesta

Vocabulario en contexto

9-1 La sencillez sencillamente sencilla

1. culpable; 2. amargo; 3. tierno; 4. sumiso;
5. abnegado; 6. agresivo; 7. creativo; 8. comprensivo

9-2 ¿Una caricia que camina?

1. I
2. L
3. I
4. L
5. I
6. L
7. I
8. L

9-3 Te invito.

1. c
2. a
3. b
4. c
5. a
6. b

Referencia gramatical 1

9-4 Un futuro prometedor

1. Nosotras ganaremos igual que los hombres.
2. Nuestras hijas tendrán mejores posibilidades.
3. Las parejas compartirán las tareas domésticas.
4. Ella tendrá una formación especial.
5. Yo querré trabajar en una empresa.
6. Tú estarás buscando un equilibrio.
7. Él verá los problemas de la sociedad.
8. Ustedes defenderán sus derechos.

Referencia gramatical 2

9-5 Yo querría…

1. Tú defenderías siempre tus derechos.
2. Los cónyuges estrecharían sus lazos.
3. Nosotros tendríamos los mismos derechos.
4. Yo diría la verdad.
5. ¿A qué hora vendría usted?
6. Una caricia valdría más que mil palabras.
7. Yo pondría las cosas en claro.
8. Ellas sabrían cómo nutrir.

Conexiones

9-6 Si quieres algo tendrás que pedirlo.

1. Si te pagan menos, pedirás un aumento.
2. Si compartimos las tareas domésticas, trabajaremos menos.
3. Si quiero platicar con las amigas, encontraré el momento.
4. Si se acerca a su pareja, estrecharán los lazos.
5. Si tú amas a tus hijos, ellos se desarrollarán mejor.
6. Si te ocupas del trabajo, resolveremos los problemas.

9-7 Vamos a lograrlo.

1. Vas a conseguirlo si abres tu corazón.
2. Van a amarte si los abrazas con frecuencia.
3. Van a acercarse si les ofreces tus caricias.
4. Voy a ser feliz si convivo con ellos.
5. Va a compartir tus reglas si aceptas las diferencias.
6. Voy a aceptar el desafío si concedes lo que te pido.

9-8 Si hay injusticia, defiéndete.

1. Si hay injusticia, defiende tus derechos.
2. Si tu pareja no quiere que trabajes, busca una solución.
3. Si para ti es importante nutrir el alma, haz actividades que te lo permitan.
4. Si tu cónyuge no comparte las tareas, habla con tu pareja.
5. Si tus hijos piden más caricias, dáselas.
6. Si alguien no quiere tener niños, respeta sus deseos.

Conexiones

9-9 ¿Irías al cine?

1. Pagaría el mismo salario si tuvieran la misma preparación.
2. Compartiría las tareas domésticas si fuera necesario.
3. Defendería los derechos de la mujer si encontrara el tiempo.
4. Organizaría una conferencia si me dieran el presupuesto.
5. Buscaría otro trabajo si me pagaran menos que a los hombres.
6. Protestaría ante mi jefa si viera una injusticia.
7. Pagaría un salario a las amas de casa si cumplieran con los requisitos.
8. Escribiría una artículo si supiera sobre tema.

9-10 ¿Qué harías?

1. Si me pagaran igual que a mis colegas no protestaría ante los jefes.
2. Si los esposos se amaran no se separarían.
3. Si el hombre acariciara a su hijo no estaría triste.
4. Si me relacionara con gente importante no tendría el trabajo actual.
5. Si nutrieras a los pequeños no se morirían de hambre.
6. Si nos ocupáramos de mantener los lazos la convivencia no sería difícil.

9-11 Si pudiera ...

1. No desafiaría a las autoridades si hubiera justicia.
2. No abrazaríamos a los seres queridos si no aprendiéramos desde pequeños.
3. No amarías a tus familiares si no tuvieras una buena relación con ellos.
4. No me acercaría a las otras mujeres si no quisiera luchar por un ideal.
5. No concedería algunos pedidos si no los considerara justos.
6. No platicarían con las organizadoras si no les interesara la causa.

Al fin a al cabo

9-12 Mujeres de punta y raja

1. Nombre: Ángeles
Ciudad y país: Mar del Plata, Argentina
Títulos: psicopedagoga y psicóloga
Trabajo actual: directora de "Orientar" y trabaja en un colegio y en la universidad
Idiomas: español y alemán
Situación familiar: casada con cuatro hijos; marido un poco machista

2. Nombre: Inés
Ciudad y país: Mar del Plata, Argentina
Títulos: profesora de letras y psicóloga
Idiomas: español e inglés
Trabajo actual: profesora de literatura en un colegio secundario y directora de investigación
Situación familiar: divorciada; tres hijos

3. Nombre: Sandra
Ciudad y país: Cambridge, Estados Unidos
Títulos: asistente social y "Master in cultural studies"
Idiomas: hebreo, inglés y español
Trabajo actual: asesora de temas multiculturales
Situación familiar: casada, dos hijos; su marido comparte las tareas domésticas y la crianza de los hijos

4. Nombre: Lidia
Ciudad y país: Barcelona, España
Títulos: profesora de letras
Idiomas: español, catalán, inglés y francés
Trabajo actual: profesora de lengua y literatura; encargada del programa de prevención de drogas
Situación familiar: Casada, dos hijos; marido autoritario pero que comparte las tareas domésticas y la crianza de los niños

9-13 Uso del tiempo por sexo

Tareas domésticas: 448 / 90
Trabajo: 81 / 228
Estudio: 25 / 35
Ocio: 139 / 164
Comer: 75 / 72
Cuidado corporal: 69 / 72

1. El instituto de la mujer español.
2. Hombres y mujeres dedican casi el mismo tiempo al cuidado corporal.
3. A las tareas domésticas.
4. Al estudio.
5. A las tareas domésticas.
6. Al trabajo no relacionado con las tareas domésticas.

9-14 ¿Quién toma las decisiones?

1. Ella
2. Ambos
3. Él
4. Ella
5. Ambos
6. Él
7. Ambos
8. Ella
9. Ambos
10. Él

9-15 Una gran pérdida

　　　Hoy en la mañana perdí la cuenta del coche con que, esperanzados en que un día nos pagara el seguro, repusimos la mitad de la camioneta que nos robaron el mes antepasado. Perdí la credencial de elector que usé para identificarme en el banco, perdí mi bolsa, una lupa tamaño carta que heredé de mi padre y que cada vez necesito más veces, perdí tres plumas, el número de teléfono del carpintero, la correa del perro, la receta del homeópata, la caja con libros para dedicar, la idea del tiempo. Todo lo fui perdiendo o extraviando, como debe decirse para que nadie piense que uno sospecha de robo.

Capítulo 10
La globalización y la tecnología

Vocabulario en contexto

10-1 No te dieron el préstamo, qué bien.

1. I
2. L
3. I
4. I
5. L
6. L
7. I
8. L

10-2 Antónimos

1. d
2. f
3. a
4. c
5. e
6. b

10-3 Al teléfono

1. c
2. a
3. c
4. b

Referencia gramatical 1

10-4 ¿Qué te parece?

1. lentísimo
2. divertidísimo
3. malísimo
4. practiquísimo
5. buenísimo
6. interesantísimo
7. tristísimo
8. aburridísimo

Referencia gramatical 2

10-5 Planificar

1. Será una empresa global.
2. Le dejaremos un mensaje.
3. Pedirán un aumento de salario.
4. Comprarán unos teléfonos celulares.
5. Abriré unas sucursales.
6. Hará unas ventas.

Conexiones

10-6 ¿Y tú?

1. Sí/No he grabado mis propios CDs.
2. Sí/No he comprado un teléfono móvil.
3. Sí/No he utilizado una agenda electrónica.
4. Sí/No he buscado trabajo en Internet.
5. Sí/No he conocido gente en Internet.
6. Sí/No he participado en discusiones por la red.

10-7 ¿Qué has hecho?

1. Sí, ha hecho la llamada con cobro revertido.
2. No, no hemos estudiado la situación de la empresa.
3. Sí, he desarrollado un nuevo plan.
4. No, no he estado en bancarrota.
5. Sí, ha escrito los informes.
6. No, no han aumentado los salarios.
7. Sí, he invertido en nuevas tecnologías.
8. No, no he previsto pedir un préstamo.

10-8 Yo también

1. Yo también / No, todavía no / he hecho mi tarea en el ordenador.
2. Yo también / No, todavía no / he hablado por mi teléfono móvil.
3. Yo también / No, todavía no / he encendido mi computadora.
4. Yo también / No, todavía no / he leído el periódico digital.
5. Yo también / No, todavía no / he abierto mi correo.
6. Yo también / No, todavía no / he escrito mis mensajes.

Conexiones

10-9 Ya lo había hecho.

1. ...había hecho mis compras.
2. ...se habían conocido a través de la red.
3. ...habíamos diseñado un portal de información.
4. ...habías escrito un programa de ordenador.
5. ...había invertido en una empresa.
6. ...había conversado con mis padres.

10-10 ¿Antes o después?

1. C
2. F
3. C
4. F
5. C
6. F

10-11 ¿Cuál?

1. Ana es la persona que sabe mucho de computadoras.
2. Quien invierte en la bolsa a largo plazo, sale ganando.
3. Estas son las computadoras cuyos microprocesadores funcionan.
4. Ésta es la máquina con que hago mis investigaciones.
5. La computadora que estaba rota ahora funciona bien.
6. La conexión ya está hecha, lo cual es un gran adelanto.
7. Este joven, quien sólo tiene 14 años, sabe escribir programas.
8. El contador de quien te hablé hizo un buen trabajo.

Al fin y al cabo

10-12 ¿Tienes madera de ejecutivo global?

1. Sí, tengo una gran capacidad de comunicación. *o* No, no tengo una gran capacidad de comunicación.
2. Sí, soy flexible. *o* No, no soy flexible.
3. Sí, soy comprensivo/a y tolerante. *o* No, no soy comprensivo/a ni tolerante.
4. Sí, deseo aprender y disfrutar nuevas experiencias. *o* No, no deseo aprender ni disfrutar nuevas experiencias.
5. Sí, soy optimista y extrovertido/a. *o* No, no soy optimista ni extrovertido/a.
6. Sí, me adapto a nuevas situaciones. *o* No, no me adapto a nuevas situaciones.
7. Sí, tengo una mentalidad abierta. *o* No, no tengo una mentalidad abierta.
8. Sí, cuento con el apoyo familiar de tipo afectivo. *o* No, no cuento con el apoyo familiar de tipo afectivo.

10-13 El Celam

1. C
2. C
3. F
4. C
5. F
6. F
7. C
8. F

10-14 En la recepción de una empresa

1. C
2. C
3. C
4. F – La Sra. Pérez Reverte tiene un secretario.
5. F – El Señor Pérez Reverte llama a su esposa.
6. C
7. F – El Sr. Yurquievich no trabaja en Multiforma.
8. F – El número de teléfono de Multiforma es el 354 2454.
9. C

10-15 Vértigo digital

Las siguientes mejoras tecnológicas importantes giraron en torno a los nuevos transistores. Así, por ejemplo, en 1953 se fabricó el primer transistor de silicio y en 1960 la empresa IBM inauguró la primera fábrica automática de estos componentes. Pero la auténtica explosión aún estaba por llegar. Se produjo con la aparición de los ordenadores de tercera generación, basados en un sorprendente invento: el circuito integrado o microchip. El primero de ellos vio la luz en 1958, pero no empezaron a utilizarse habitualmente hasta 1963.

Capítulo 11
Música, cine y televisión

Vocabulario en contexto

11-1 ¡Felicitaciones, un fracaso de taquilla!

1. I
2. L
3. I
4. L
5. I
6. L
7. I
8. L

11-2 Definiciones

1. c
2. a
3. f
4. e
5. b
6. d

11-3 Entrevista

1. b
2. a
3. c
4. b
5. a
6. c

Referencia gramatical 1

11-4 ¿Por quién fue dirigida?

1. El guión de la película fue escrito por Lucas Radi.
2. La película fue distribuida por Raditiago S. A.
3. La película fue compaginada por Antonio Gaume.
4. La música fue compuesta por Herveto Gaume.
5. La película fue producida por Diego Radi.
6. La fotografía fue hecha por Román Corfas.

Referencia gramatical 2

11-5 Se venden muchos discos.

1. Se filman dos películas al año.
2. Se producen tres obras por temporada.
3. Se contratan artistas locales.
4. Se emite sólo música latina.
5. Se interpretan papeles reales.
6. Se ensaya todos los jueves.
7. Se escriben guiones originales.
8. Se buscan actores motivados.

Conexiones

11-6 ¿Cuándo?

1. Tan pronto como lo hayamos encontrado.
2. En cuanto las hayamos ensayado.
3. Cuando la hayamos pintado.
4. Después de que los hayamos visto.
5. Cuando las hayamos conseguido.
6. En cuanto las hayamos utilizado.

11-7 Problema de comunicación

1. No, filmaré cuando yo haya actuado.
2. No, ensayaremos cuando tú hayas vuelto.
3. No, producirá la película cuando usted haya firmado.
4. No, cantarán cuando ella haya actuado.
5. No, aplaudirá cuando nosotras hayamos actuado.
6. No, escribiré el guión cuando ustedes me hayan dado una idea.

Conexiones

11-8 ¡Qué lástima!

1. Ojalá yo hubiera contratado a los actores.
2. Ojalá tú le hubieras pagado a la productora.
3. Ojalá él hubiera hecho la escenografía.
4. Ojalá usted hubiera filmado los exteriores.
5. Ojalá nosotros hubiéramos ensayado muchas veces.
6. Ojalá ellas hubieran firmado el contrato.
7. Ojalá tú hubieras comprobado el presupuesto.
8. Ojalá yo hubiera ensayado la escena.

11-9 Noticias

1. Fue muy triste que el director hubiera muerto antes del estreno.
2. Me encantó que la protagonista hubiera ganado el Goya.
3. Dudaba de que las películas hubieran estado reveladas.
4. Nos alegró que la productora hubiera organizado todo de maravillas.
5. No podía creer que la obra hubiera sido el éxito de la temporada.
6. Era importante que los actores hubieran ensayado mucho.
7. Fue muy triste que hubieran tenido problemas con el protagonista antes de filmar.
8. Fue increíble que la canción se hubiera escuchado en todas las discotecas del país.

Conexiones

11-10 Ayer, hoy y mañana

1. Era importante que aplaudieras.
2. Sería increíble que fuera un éxito de taquilla.
3. Si tuviera dinero habría ido al cine.
4. Será necesario que entre en el mundo del espectáculo.
5. Compondría si tuviera ganas.
6. Actuó como si estuviera en su casa.
7. Llamará a la radio en cuanto sepa la noticia.
8. Si fuera rico, produciría películas.

11-11 Cada uno a su tiempo

1. Fue lamentable que el verano pasado la canción haya sido un fracaso.
2. Habría sido interesante que los estudiantes hubieran comprendido la letra.
3. Preferiríamos que ustedes fueran al teatro esta noche.
4. Nos sorprendió que anoche el director no hubiera saludado al público.
5. Sería conveniente que ustedes compraran los boletos antes de la función.
6. Es bueno que tú hayas escrito un guión interesante.
7. Es increíble que la obra sea un éxito de taquilla.
8. Esperemos que a ustedes les guste la canción.

Al fin y al cabo

11-12 Cartelera

1. Amor vertical
2. Drama
3. Jorge Perugorría
4. *Fresa y Chocolate*, y *Guantanamera*
5. Silvia Águila
6. Por Arturo Soto
7. En dos
8. No
9. Los martes y jueves
10. Al 6-36-04-85

11-13 ¿Qué hacemos?

Conversación 1: 1.C; 2.F; 3.C; 4.F; 5.C; 6.C
Conversación 2: 1.C; 2.C; 3.F; 4.F; 5.F; 6.F

11-14 El mundo en casa

Podrá haber épocas en que podamos prescindir de la televisión, pero podrán suceder otras —una enfermedad, una clase de invalidez— en que su intromisión en nuestras vidas nos sea más que necesaria, casi vital. Como hay momentos en que nos sobra y momentos en que nos hace compañía. Yo recuerdo algunas lejanas tardes en que la irrupción de superagente 86 en la pantalla todavía gris del televisor era como la llamada telefónica de un amigo. La televisión supone, con todos su pros y todos sus contras, una clase especial de amistad y, como a las personas, hay que saberla tratar.

Capítulo 12
El amor y la celebración de la vida

Vocabulario en contexto

12-1 Alegría y felicidad

1. a
2. d
3. b
4. f
5. c
6. e

12-2 Brindemos por tu felicidad

1. I
2. L
3. L
4. I
5. L
6. L
7. I
8. I

12-3 ¿Y tú?

Las respuestas son personales.

Referencia gramatical 1

12-4 La boda

1. Sí, habrán comprado los globos y habrán encargado el pastel.
2. Sí, habrán hecho la lista de invitados y habrán enviado las invitaciones.
3. Sí, habrán reservado la sala y habrán contratado al DJ.
4. Sí, se habrá probado el vestido y habrá usado un poco los zapatos.
5. Sí, habrán elegido la música y habrán puesto las flores en el templo.
6. Sí, habrán intercambiado los anillos y habrán escrito los votos.

Referencia gramatical 2

12-5 Contreras

1. Yo no habría comprado los fuegos artificiales.
2. Tú no habrías celebrado tu cumpleaños.
3. Ella no se habría puesto una careta.
4. Nosotras no nos habríamos disfrazado para el carnaval.
5. Ellos no se habrían emborrachado en la fiesta.
6. Los novios no habrían saludado a todos en la iglesia.

7. El desfile no habría pasado por el centro.
8. Ellas no habrían hecho una despedida de soltera.

Conexiones

12-6 Si fuera. . .

1. Si hubiera tenido dinero habría hecho una fiesta.
2. Si se hubieran querido se habrían casado.
3. Si hubieran tenido ganas se habrían disfrazado.
4. Si me hubieras abrazado me habría enfadado.
5. Si hubiéramos hecho chistes se habrían reído.
6. Si hubiera contratado a una orquesta me habría divertido.

12-7 ¿Qué habrías hecho?

1. No habría ido.
2. No lo habría festejado.
3. No habría participado.
4. No me habría emborrachado.
5. No los habría contado.
6. No habría rezado.

12-8 De haber sabido

1. De haberme casado por dinero, habría hecho un contrato.
2. De no haber podido celebrar mi boda, habría cambiado la fecha.
3. De haberme enamorado de una persona famosa, la habría olvidado.
4. De haber sido elegido premio Nobel de la Paz, habría celebrado.
5. De haber conocido a la Madre Teresa, habría trabajado con ella.
6. De haber sido ministro de la paz, habría luchado por ella.

Conexiones

12-9 Una reunión perfecta

1. F
2. F
3. C
4. F
5. F
6. C

12-10 Mi hermano mayor

1. De ser mi hermano, yo devolvería las llamadas de mis amigos.
2. De ser mi hermano, yo intentaría mantener buenas relaciones con la familia.
3. De ser mi hermano, yo querría conocer a alguien interesante.
4. De ser mi hermano, yo estudiaría antes de los exámenes.
5. De ser mi hermano, yo pasaría la Navidad con mis padres.
6. De ser mi hermano, yo estaría contento con todo.

12-11 Si yo lo hubiera sabido. . .

1. Si yo hubiera sabido que mi mamá iba a morir a los 50 años, habría pasado más tiempo con ella.
2. Si yo hubiera sabido que aprender español en la escuela era importante, habría prestado más atención en clase.
3. Si yo hubiera sabido que no volvería a ver a mis primos, me habría despedido de ellos.
4. Si yo hubiera sabido que mi papá iba a tener cáncer de pulmón, yo habría dejado de fumar.
5. Si yo hubiera sabido que había problemas de diabetes en mi familia, habría mantenido una dieta saludable.
6. Si yo hubiera sabido que iba a encontrar un trabajo mejor cuando me despidieron, no me habría desesperado.

Al fin y al cabo

12-12 Las celebraciones hispanas

1. F
2. F
3. C
4. C
5. F
6. C

12-13 La Semana Santa

1. El Ayuntamiento de Sevilla
2. En la Plaza Mayor
3. Todos los niños menores de 15 años
4. A las ocho de la tarde
5. En los Jardines del Real
6. Llamar al teléfono de atención al público del Ayuntamiento de Sevilla.

12-14 Hablemos de ti

Las respuestas son personales.

12-15 Cleopatra

"Nos pusimos caretas o antifaces. Yo llevaba un antifaz dorado, para no desentonar con la pechera áurea de Cleopatra. Cuando ingresamos en el baile (era en el club de Malvín) hubo murmullos de asombro, y hasta aplausos. Parecíamos un desfile de modelos. Como siempre nos separamos y yo me divertí de lo lindo. Bailé con un arlequín, un domador, un paje, un payaso y un marqués. De pronto, cuando estaba en plena rumba con un chimpancé, un cacique piel roja, de buena estampa, me arrancó de los peludos brazos del primate y ya no me dejó en toda la noche." Mario Benedetti.